Mit zehn Fingern um die Welt

130 Hand- und Bewegungsspiele für Kinder von 0 bis 6

Verse aus über 40 Ländern
mit deutschen Textversionen
und Hörbeispielen

HELBLING

Innsbruck · Esslingen · Bern-Belp

Inhaltsverzeichnis

Guten Morgen und gute Nacht
Zum Begrüßen, Verabschieden und Schlafengehen

Fünf Finger hab ich an jeder Hand
Vom ersten bis zum letzten Finger

Eins und eins macht zwei
Zahlenspiele mit den Händen

Guten Appetit!

Rund ums Kochen und Essen

Im Garten

Von Blumen und Tieren

Auf dem Bauernhof

Was grunzt denn da?

In Wald und Feld
Entdeckungen in der Natur

Tiere aus aller Welt
Kleine Moskitos und große Elefanten

Wir bewegen uns
Strampelverse, Kniereiter und erste Bewegungsspiele

Alle klatschen mit

Rhythmusspiele für Kleine und Große

Im Kreis herum

Bewegte Gruppenspiele

Anhang

Vorwort

Finger-, Klatsch- und Bewegungsspiele sind ein wichtiges pädagogisches Handwerkszeug für alle Erzieherinnen und Erzieher, Pädagoginnen und Pädagogen, Unterrichtende und Eltern, denn sie fördern auf spielerische Weise die frühe Kommunikation und Interaktion. Durch die untrennbare Einheit von Sprache und Bewegung werden die Beobachtungsgabe, das Sprachgefühl sowie die Entwicklung der Feinmotorik der Kinder trainiert. Außerdem sind die Verse eine wunderbare Möglichkeit, Kinder zum Mitmachen anzuregen, zu unterhalten und die Grundlagen für das sich entwickelnde „Rhythmusgefühl" zu legen. Besonders Finger- und Klatschspiele haben dabei einen großen Stellenwert. Bei den Kleinsten können die Händchen geführt und die Finger nach und nach angefasst werden. Ältere Kinder imitieren den Erwachsenen, z. B. indem eine Hand die Finger der anderen Hand nach und nach berührt. Das Aufzeigen einzelner Finger können ältere Kinder auch alleine ausführen.

Viele der Verse greifen Bilder aus der Natur auf und erzählen kleine Geschichten quasi „auf engstem Raum". Die Finger drücken die Verschiedenheit der Menschen aus, der dicke Daumen, der mahnende oder schlaue Zeigefinger, der große Mittelfinger, danach der elegante Ringfinger und schließlich der Kleinste, der oft die Sichtweise eines Kindes übernimmt oder ein bisschen vorwitzig ist. Auch Kinderreime zum Bewegen und Klatschen gibt es in zahlreichen Kulturen. Diese eignen sich ganz besonders gut dafür, Kindern in internationalen Gruppen den typischen Klang verschiedener Sprachen (oft erstmalig) zugänglich zu machen.

Alle Texte in diesem Buch können sehr leicht umgesetzt werden: als kleines Spielstück zwischendurch, beim Musikmachen, zur Einführung oder Auflockerung bei einem thematischen Projekt und natürlich auch für den Zweit- oder Fremdsprachenunterricht sowie zum Kennenlernen anderer Kulturen.

Nach meiner Erfahrung sind Kinder offen für alle interessanten Spielideen, egal woher diese ursprünglich stammen. Schon öfter war ich zu Gast in Einrichtungen mit vielen Kindern aus anderen Kulturen. Oft ist es hier nicht ganz einfach, alle Kinder gleichermaßen anzusprechen. Meine Erfahrung zeigt jedoch, dass über die musikalische und motorische Ebene alle Kinder einbezogen und aktiviert werden können und die Spielideen mit viel Freude von Seiten der Kinder, der Pädagogen und Eltern angenommen werden.

Zahlreiche Stücke habe ich bei Reisen innerhalb Deutschlands direkt von Muttersprachlern gelernt, andere Verse habe ich von Reisen ins Ausland mitgebracht. Dort waren umgekehrt deutsche Verse und Lieder „Eisbrecher", um Kinder und Erwachsene mit allen Sinnen anzusprechen.

Ich möchte allen danken, die mir mit Materialen, Ideen und Tipps geholfen haben, darunter den freiwilligen Sprecherinnen und Sprechern, Korrekturleserinnen und -lesern (siehe auch Umschlaginnenseite vorne).

Und nun darf ich Sie herzlich zu einer musikalischen Länderreise rund um die Welt einladen und wünsche allen dabei ein „glückliches Händchen".

Wolfgang Hering

Über das Buch

In diesem Buch werden Fingerspiele und Rhythmikverse aus über 40 Ländern vorgestellt: Die europäischen Länder Großbritannien, Frankreich, Italien, Spanien, die Türkei sowie skandinavische und osteuropäische Länder sind dabei ebenso vertreten wie Australien, die USA, verschiedene Länder Südamerikas, Asiens und Afrikas. Nicht immer lässt sich das Ursprungsland eines Verses ganz eindeutig bestimmen, in diesem Fall wurden mehrere Länder (z. B. Großbritannien / USA) in der Kopfzeile vermerkt.

Einsatzmöglichkeiten

Mit zehn Fingern um die Welt eignet sich für den Einsatz zuhause, in Krippe, Kita, Kindergarten und Grundschule, im fremdsprachlichen Anfangsunterricht, in der Sprachförderung, in Kindergruppen mit Flüchtlingskindern und im Musikunterricht. Es bietet sofort einsetzbare und vor allem praxisnahe Spielideen, die alle Kinder einbeziehen. Gerade Kinder mit Deutsch als Zweitsprache lernen über die Kinderlyrik auch die typisch deutsche Prosodie, d. h. den Sprachklang, kennen.

Kapiteleinteilung

Die Verse in diesem Buch wurden gemäß ihrer vorgeschlagenen Verwendung oder ihres thematischen Bezugs in 11 Kapitel eingeteilt. Es geht los mit Versen, die sich gut zum Begrüßen und Verabschieden eignen, anschließend stehen der Daumen und die vier weiteren Finger im Mittelpunkt des Geschehens. In den folgenden Kapiteln geht es um das Zählen mit den Fingern, um das gemeinsame Essen, Erlebnisse im Garten, auf dem Bauernhof und in Wald und Feld. Tiere wie Katzen und Mäuse, Schweine und viele weitere kleine und große Tiere kommen dabei nicht zu kurz. Im Kapitel „Tiere aus aller Welt" wird der Fundus um kleine Geschichten über exotische Tiere erweitert. Einen besonderen Stellenwert haben die drei letzten Kapitel: Hier finden Sie Kniereiter, Strampelverse und erste Bewegungsspiele für die ganz Kleinen, sowie Klatsch- und Kreisspiele für die Größeren.

Umsetzung

Bei allen Versen sind Hinweise zur **Umsetzung** notiert. Hier ist genau beschrieben, wie ein Finger- oder Bewegungsspiel ausgeführt werden kann – eigenen Ideen sind jedoch natürlich keine Grenzen gesetzt! Alle Verse können dabei grundsätzlich in einem freien Sprachrhythmus gesprochen werden. Wenn Sie die kurzen Texte jedoch akzentuiert sprechen wollen, um die Bewegungen sprachlich besser zu unterstützen, dann achten Sie auf die unterstrichenen Silben bei zahlreichen Versen und betonen Sie diese beim Sprechen. Wenn Sie ein solches Fingerspiel zum ersten Mal sprechen, dann ist es oft leichter, wenn Sie im Takt dazu klatschen. Der Grundschlag kann bei vielen Versen auch von den Kindern mit Klanghölzern oder Handtrommeln begleitet werden.

Es gibt darüber hinaus unterschiedliche Möglichkeiten, Fingerspiele in Szene zu setzen: Führen Sie die Finger kleinerer Kinder und helfen Sie ihnen so bei den Bewegungen; ab ca. drei Jahren imitieren die Kleinen die Bewegungen selbst und können auch viele Texte bereits mitsprechen. Ältere Kindergarten- und (Vor-)Schulkinder greifen bereits die rhythmischen Akzente vermehrt auf und können eigene Bewegungen vorschlagen. Stellen Sie bei der Erarbeitung

zunächst das ganze Stück vor. Sprechen Sie dabei entweder nur den Text und lassen Sie die Kinder anschließend Bewegungen vorschlagen oder machen Sie Vorgaben für den motorischen Ablauf.

Die Texte können auch mit der Stimme interpretiert werden. Es können Pausen gelassen und nach Bedarf einzelne Textstellen wiederholt werden. Einzelne Passagen können geheimnisvoll, komisch oder auch beunruhigend klingen, die Spannung kann zum Ende hin gesteigert werden. Das Handtheater kann durch einen entsprechenden Gesichtsausdruck unterstützt werden.

Die Verse

Alle Verse sind zunächst als **Originalversion**, d. h. in Originalsprache und -schrift, abgedruckt. Ein paar dieser Texte können sowohl gesprochen als auch gesungen werden. Achten Sie auf das Noten-Icon  , es verweist auf ausgewählte Notenbeispiele im Anhang.

Hinzu kommt eine **deutsche Version**, die die Spielideen der Originaltexte aufgreift und die Sie auch unabhängig von der Originalversion einsetzen können. Bei diesen freien deutschen Textübertragungen wurde versucht, die Rhythmisierung einheitlich zu gestalten (d. h. die gleiche Anzahl von Hebungen in einer Zeile wie bei der Originalversion), dies ist aufgrund der unterschiedlichen Silbenanzahl usw. jedoch nicht immer möglich. Die verkürzte Schreibweise mancher Wörter (z. B. „stehn" statt „stehen") ist dem Sprachrhythmus eines Verses geschuldet. Zur besseren Lesbarkeit wurde an diesen Stellen auf Auslassungsapostrophe (steh'n) verzichtet.

Die an vielen Stellen angeführte wörtliche **Übersetzung** dient in erster Linie Ihrer Information und ist nicht für den Einsatz in der Kindergruppe gedacht. Auf diese Übersetzung wurde verzichtet, wenn die deutsche Version einer wörtlichen Übersetzung nahezu entspricht.

Zusätzlich finden Sie bei vielen Texten in der Box **Aussprache** eine Art „Lautschrift", auf die nur bei englischsprachigen Texten oder solchen, bei denen die Lautschrift fast vollständig dem Originaltext entspräche, verzichtet wurde. Da die internationale Lautschrift gewisse Vorkenntnisse erfordert, wurde in diesem Buch versucht, den Sprachklang (zum Teil mit regionaler Sprachfärbung) in einer Form niederzuschreiben, die von deutschsprachigen Leserinnen und Leser direkt vom Blatt gelesen werden kann. Natürlich beansprucht die „Lautschrift" in diesem Buch keinerlei wissenschaftliche Gültigkeit. Sie soll es Ihnen stattdessen ermöglichen, die Verse ohne größere Schwierigkeiten sofort in der Praxis einzusetzen und die Hemmschwelle, die ein fremdsprachiger Text oft mit sich bringt, mit Leichtigkeit zu überwinden. Nur die folgenden Laute werden durch Lautschriftsymbole dargestellt, da sie in der deutschen Sprache keine Entsprechung finden: θ (im Englischen „th"), ã / õ (ein nasales „a" oder „o"; im Französischen wie in „<u>un</u>" oder „papill<u>on</u>") und ə (ein kurzes, dumpfes „e" wie in Sach<u>e</u>).

Die Hörbeispiele

Da die „Lautschrift" aber natürlich kaum den echten Sprachlaut ersetzen kann, hören Sie sich am besten zusätzlich die Hörbeispiele 🎧 123 an, die alle von Muttersprachlern eingesprochen wurden. Um diese abzurufen, gehen Sie auf die Website *www.helbling.com/code* und tippen Sie den hinten im Buch befindlichen Zugangscode ein. So erhalten Sie Zugriff auf alle Sprachaufnahmen.

Guten Morgen und gute Nacht

Zum Begrüßen, Verabschieden und Schlafengehen

Gerade bei kleinen Kindern bietet es sich an, den Anfang eines gemeinsamen Tages oder einer Lerneinheit sowie den gemeinsamen Abschluss in Form eines wiederkehrenden Rituals zu gestalten. Rhythmische Verse helfen dabei, die Kinder diese Phasen als entspannte und gut strukturierte Situationen erleben zu lassen.

Bunte Begrüßung

Der <u>Daumen</u> sagt: „How <u>do</u> you do,
ich <u>kann</u> schon Englisch, <u>was</u> kannst du?"
„Bonjour", legt da der <u>Zweite</u> nach,
das <u>heißt</u> in Frankreich „Guten Tag".
Der <u>Dritte</u> spricht: „Si, <u>si</u>, hola",
das <u>ist</u> jetzt Spanisch, <u>ist</u> doch klar.
Der <u>Vierte</u> kommt aus <u>der</u> Türkei,
sagt: „<u>Merhaba</u>, ich <u>bin</u> dabei!"
Der <u>Fünfte</u> ruft: „Ich <u>zähl</u> bis drei,
dann <u>bringt</u> ihr mir was <u>Neues</u> bei!"

Text: Wolfgang Hering

Schlussvers

<u>Eins</u>, zwei, <u>drei</u> und vier,
seid ihr denn noch <u>alle</u> hier?
<u>Fünf</u>, sechs, <u>sieben</u>, acht,
jetzt wird einfach <u>Schluss</u> gemacht.
<u>Dann</u> kommt nur noch <u>neun</u> und zehn:
„<u>Tschüss</u>, bis bald, auf <u>Wiedersehn</u>!"

Text: Wolfgang Hering

Umsetzung

Die Kinder strecken die Finger einer Hand bzw. beider Hände nacheinander aus. Zur letzten Zeile des Fingerspiels *Schlussvers* winken alle in die Runde oder bewegen die gefassten Hände im Sprachrhythmus auf und ab (alternativ auch zum gesamten Vers möglich).

Sí se puede / Meine Welt

Sí se puede

En este mundo tan lindo y tan grande
yo soy único, yo soy especial,
lleno de amor y de inteligencia.
Yo puedo realizar mis sueños.
Siendo un buen estudiante
y haciendo siempre mi trabajo
con amor, con orgullo
y con gusto, porque sé que,
sí se puede.

Text: José-Luis Orozco, aus:
Diez Deditos © Penguin Random House

Umsetzung

Dieses spanische Bewegungsgedicht wird mit Gesten zum gesprochenen Text ausgeführt und dient der Besinnung auf die eigenen Stärken:
- Zuerst zum Wort „mundo"*(Welt)* einen großen Kreis mit den Händen zeigen,
- für das persönliche „yo" *(ich)* auf die eigene Brust deuten,
- zu „sueños" *(Träume)* eine Hand hochstrecken,
- bei „amor" *(Liebe)* die Hand aufs Herz legen,
- zu „sí se puede" *(ich kann es schaffen)* die Hand zur Faust ballen.

Auch in der deutschen Übertragung wird der Text mit Gebärden ausgedrückt, z. B.
- bei „schlau" an die Stirn deuten,
- zum Wort „Spaß" die Hände reiben,
- für den „Turm" die Fäuste übereinander halten,
- zur Schlusszeile auf die eigene Brust klopfen.

Aussprache

Si se puede

En este mundo tan lindo i tan grande
jo soi uniko, jo soi espeθial,
jeno de amor i de inteligenθia.
Jo puedo realiθar mis suenjos.
Siändo un buen estudiante
i aθiendo siämpre mi trabacho
kon amor, kon orgujo
i kon gusto, porke se ke,
si se puede.

Deutsche Version

Meine Welt

In dieser kunterbunten Welt,
da gibt es viel, was mir gefällt.
Ich bin besonders, bin ganz schlau,
lieb bunte Farben, nicht das Grau.
Mit Spaß zu spielen ist mein Glück,
bau einen Turm mit viel Geschick.
Ja, manchmal brauch ich etwas Mut,
und wenn ich lache, geht's mir gut.

Text: Wolfgang Hering

Übersetzung

Ich kann es schaffen

In dieser Welt so hübsch und so groß
bin ich einzigartig, bin ich besonders,
voller Liebe und Intelligenz.
Ich kann meine Träume verwirklichen.
Wenn ich ein guter Schüler bin
und immer meine Arbeit mache
mit Liebe, mit Stolz
und mit Vergnügen, weiß ich,
ich kann es schaffen.

I look in the mirror / Ich schau in den Spiegel

Originaltext 2

I look in the mirror

I look in the mirror,
and what do I see?
I see a happy face
smiling at me.

I look in the mirror,
and what do I see?
I see a sad face
frowning at me.

Text: trad. aus Großbritannien / USA

Deutsche Version

Ich schau in den Spiegel

Ich schau in den Spiegel,
und wer sieht mich an?
Ein glückliches Gesicht,
das lachen kann.

Ich schau in den Spiegel,
und wer sieht mich an?
Ein trauriges Gesicht,
das weinen kann.

Text: Wolfgang Hering

Umsetzung

Dieser Vers bietet eine leicht umsetzbare Spielidee, um verschiedene Stimmungen auszudrücken: Eine Hand wird als Spiegel vor das Gesicht gehalten, um dann die unterschiedlichen Emotionen darzustellen. Die englische Originalfassung beinhaltet die Gemütszustände „happy" *(fröhlich)* und „sad" *(traurig)*. Die Kinder können für die deutsche Version weitere vorschlagen wie „müde" (gähnen) oder „wütend" (grimmig schauen). Anschließend kann, z. B. im Morgenkreis, darüber gesprochen werden, wie die Kinder sich heute fühlen.

Misafir geldi / Der Besuch ist da

Originaltext 🎧 3

Misafir geldi

Misafir geldi,
kapıyı aç.
Bak pencereden,
çevir mandalı.
Gir içeriye.
Al iki sandalye
otur buraya.

Text: trad. aus der Türkei

Aussprache

Misafir geldi

Misafir geldi,
kapjə atsch.
Bak pendschereden,
tschewir mandalə.
Gir itscherije.
Al iki sandalje
otur buräja.

Umsetzung

Dieses türkische Fingerspiel hat die orientalische Gastfreundschaft zum Thema und kann gut zur morgendlichen Begrüßung oder zum Empfang eines neuen Kindes in der Gruppe eingesetzt werden. Das Geschehen wird gestisch begleitet, z. B. so:

◆ Zuerst mit der Hand an die Stirn klopfen
  („Misafir geldi" / „Es klopft"),
◆ danach die Hand spähend über die Augen halten
  („Bak pencereden" / „Wir sehn"),
◆ dann mit den Fingern sanft die Nase dehen
  („Çevir mandalı" / „und öffnen schnell"),
◆ mit der Hand jemanden herbeiwinken
  („Gir içeriye" / „Bitte, kommt herein"),

◆ mit den Fingern beidseitig an die Ohrläppchen greifen
  („Al iki sandalye" / „Jetzt seid ihr da"),
◆ zum Schluss beide Zeigefinger an das Kinn gelegt
  („Otur buraya" / „nehmt Platz").

Alternativ können auch die Bewegungen im Rollenspiel pantomimisch ausgeführt werden: Der Besuch kommt, klopft an, dann schauen alle aus dem Fenster, drehen am Türknauf und stellen zwei Stühle hin, auf dem es sich die Gäste bequem machen können.

Übersetzung

Die Gäste sind da

Die Gäste sind da,
öffne die Tür.
Schau aus dem Fenster,
drehe den Türknauf.
Trete ein.
Nimm zwei Stühle,
setze dich her.

Deutsche Version

Der Besuch ist da

Es klopft an unsre Tür, aha!
Ja, schau mal, der Besuch ist da!
Wir sehn ganz kurz zum Fenster raus
und öffnen schnell die Tür vom Haus.
Ach bitte, bitte, kommt herein,
ihr sollt heut unsre Gäste sein!
Jetzt seid ihr da, das ist ein Glück,
nehmt Platz, lehnt euch bequem zurück!

Text: Wolfgang Hering

To sleep / Zum Einschlafen

Originaltext 🎧 4

To sleep

A little mouth to eat with,
my little nose to smell with,
my two little eyes to see with,
my two little ears to hear with.
And my little head? To sleep!

Text: trad. aus Großbritannien / USA

Deutsche Version

Zum Einschlafen

Das ist der Mund,
damit isst jedes Kind.
Das ist die Nase,
die streckt sich zum Wind.
Das sind die Augen,
die schließ ich bei Nacht.
Das sind die Ohren,
zum Hören gemacht.
Das ist der Kopf,
bei Kindern noch klein,
und abends schläft alles
ganz friedlich ein.

Text: Wolfgang Hering

Umsetzung

To sleep ist ein schönes Bewegungsstück
für ein Einschlafritual mit kleinen Kindern.
Beim Einsatz in einer Kindergruppe deutet
ein Erwachsener zum gesprochenen Text
zunächst auf seinen Mund, fasst dann an
seine Nase, deutet auf die Augen und auf
die Ohren. Schließlich legt er beide Hände
als Kissen an ein Ohr und ahmt Schlafgeräu-
sche nach. Bei einem einzelnen Kind können
auch die genannten Körperteile sanft berührt werden, ältere Kinder ahmen die Bewegungen mit ihren eigenen Händen nach.

Lugar de reposo / Zum Schlafengehen

Originaltext 5

Lugar de reposo

En este nidito vive un pajarito: "Pío, pío, pío, pío."
La abeja se mueve en este panal: "Zzz…"
El vivo conejo se esconde en su madriguera,
y yo en mi camita me voy a acostar.

Text: trad. aus Spanien

Aussprache

Lugar de reposo

En este nidito wiwe un pacharito: "Pio, pio, pio, pio."
La abecha se mueve en este panal: "Zzz…"
El wiwo konecho se eskonde en su madrigera,
i jo en mi camita me woi a akostar.

Übersetzung

Ort zum Ausruhen

In diesem kleinen Nest lebt ein Vöglein:
„Piep, piep, piep, piep."
Die Biene bewegt sich in dieser Wabe: „Zzz…"
Das aufgeweckte Kaninchen
versteckt sich in seinem Bau
und ich lege mich in meinem Bettchen schlafen.

Umsetzung

- Zur ersten Zeile („En este nidito" / „Ein Vogel")
  mit beiden Händen ein kleines Nest darstellen
  und die Piep-Geräusche imitieren, dabei die
  Hände kurz hin- und herbewegen.
- Anschließend mit einer Faust einen Bienenstock
  andeuten, die andere Hand nähert sich als Biene. Dazu summen.
- Danach stellen zwei Finger zunächst Hasen-
  ohren dar, danach versteckt sich der Hase
  hinter dem Rücken.
- Am Ende werden die Hände zusammengelegt
  als Kopfkissen an die Wange gehalten.

Deutsche Version

Zum Schlafengehen

Ein Vogel hat sein Nest gemacht
und ruft nun leise durch die Nacht:
„Piep, piep, piep, piep."
Im Bienenstock verstummt das Brummen,
nur manche Biene hör ich summen: „Sss…"
Und auch der Hase schläft im Nu,
so mach auch ich die Augen zu.

Text: Wolfgang Hering

Naar bed, naar bed / Zeit fürs Bett

Naar bed, naar bed

„Naar bed, naar bed", zei Duimelot,
„Eerst nog wat eten", zei Likkepot,
„Waar kunnen we dat halen?", vroeg Langejan,
„In grootvaders kastje", zei Ringeling,
„Dat zal ik verklappen", zei het Kleine Ding.

Text: trad. aus den Niederlanden

Umsetzung

Die niederländische Sprache ist dem Deutschen
recht ähnlich und so leicht verständlich. Nach
und nach werden zu diesem Vers die Finger
einzeln aus der Faust gestreckt oder mit den
Fingern der anderen Hand berührt.

Übersetzung

Ins Bett, ins Bett

„Ins Bett, ins Bett", sagt der Daumen.
„Erst noch was essen", sagt der Zeigefinger.
„Wo können wir das holen?", fragt der
Mittelfinger.
„In Großvaters Schränkchen", sagt der Ringfinger.
„Das werde ich verraten", sagt der kleine Finger.

Deutsche Version

Zeit fürs Bett

„Zeit fürs Bett", sagt der Daumen,
„ich möcht' aber noch Pflaumen!"
„Ich auch", sagt Zeigefinger,
„wo gibt's die süßen Dinger?"
Sagt der Lange in der Mitte:
„Ich hol Pflaumen, sagt nur ,Bitte'!"
„Ihr müsst sie aus dem Keller tragen,"
sagt der Ringfinger ganz verschlagen.
Spricht der Kleine, der Teufelsbraten:
„Das werde ich unserer Mama verraten!"

Text: Wolfgang Hering

풍선 은 풍선 은 / Luftballon, Luftballon

Originaltext 🎧 7

풍선 은 풍선 은

풍선 은 풍선 은
높이날아가요
둥실둥실
춤추면서
멀리멀리 날아가요

Text: trad. aus Korea

Aussprache

Pungson en, pungson en

Pungson en, pungson en
nopi nalagajo
dungschil dungschil
zum zu mionso
molli molli nalagajo.

Umsetzung

Dieses koreanische Bewegungsspiel kann gut für die Verabschiedung von kleinen Kindern eingesetzt werden: Alle stellen sich in ihrer Hand einen Luftballon vor, der aufwärtssteigt. Dann wird der fliegende Luftballon in den Himmel entlassen und alle schauen ihm hinterher.

Deutsche Version

Luftballon, Luftballon

Luftballon, Luftballon,
fliege in die Luft davon.
In den Himmel schwebst du leise,
wir wünschen eine gute Reise.

Text: Wolfgang Hering

Übersetzung

Luftballon, Luftballon

Luftballon, Luftballon,
in die Höhe fliegt er,
schwebend, schwebend tanzt er
und sehr weit fliegt er.

Fünf Finger hab ich an jeder Hand

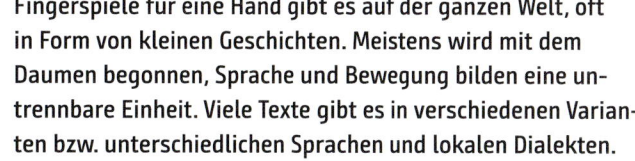

Vom ersten bis zum letzten Finger

Fingerspiele für eine Hand gibt es auf der ganzen Welt, oft in Form von kleinen Geschichten. Meistens wird mit dem Daumen begonnen, Sprache und Bewegung bilden eine untrennbare Einheit. Viele Texte gibt es in verschiedenen Varianten bzw. unterschiedlichen Sprachen und lokalen Dialekten.

Dat is de Duum 8

Dat is de Duum,
de schüddelt de Pluum,
de läst se up,
de frätt se up,
de Lütt geiht hen
un seggt 't Muddern.

Text: trad. aus Norddeutschland

Das isch der Dume 9

Das isch der Dume,
dä schüttlet Pflume,
dä liist sie uf,
dä dreit si hei
und de Chlii
isst si ganz allei.

Text: trad. aus der Schweiz

Umsetzung

Diesen Fingerspiel-Klassiker gibt es in verschiedenen Dialekten. Es wird jeweils mit dem Daumen begonnen. Es können die Händchen eines kleinen Kindes gefasst und das Fingerspiel auf diese Weise umgesetzt werden. Ältere Kinder können selbst die Finger einzeln heben und das Stück selbstständig mitmachen.

Das ist der Daumen

Das ist der Daumen,
der schüttelt die Pflaumen,
der hebt sie auf,
der trägt sie nach Haus
und der Kleine isst sie alle auf.

Text: trad.

Tommeltot faldt i vand /
Der Daumen fiel in den Teich

Tommeltot faldt i vand

Tommeltot, tommeltot faldt i vand,
Slikepot, slikepot tog ham op,
Langemand, langemand bar ham hjem,
Gulebrand, gulebrand redte seng,
lille Per Spillemand rend hjem og sladret.

Text: trad. aus Dänemark

Aussprache

Tommeltott fällt i wänn

Tommeltott, tommeltott fällt i wänn.
Slickepott, slickepott to hamm opp.
Langemän, langemän bah hamm jemm.
Gulebränn, gulebränn reede seng,
lille Per Spillemän rann jemm o slähre.

Übersetzung

Der Daumen fiel ins Wasser

Der Daumen, der Daumen fiel ins Wasser,
der Zeigefinger, der Zeigefinger holte ihn raus,
der Mittelfinger, der Mittelfinger trug ihn nach Haus,
der Ringfinger, der Ringfinger machte das Bett
und der kleine Finger rannte nach Hause und petzte.

Umsetzung

Dieses Fingerspiel kommt in ähnlichen Fassungen in verschiedenen Sprachen vor. Der Teich bzw. der Brunnen wird mit einer Hand dargestellt (eine Schale bzw. eine aufrechte Röhre bilden), der Daumen der anderen Hand „verschwindet" zu Beginn darin. Anschließend werden die weiteren Finger nacheinander ausgestreckt und bewegt.

Deutsche Version

Der Daumen fiel in den Teich

Der Daumen fiel in den Teich.
Der Zweite half ihm sogleich.
Der Dritte brachte ihn heim.
Der Vierte kocht Haferschleim.
Der Kleine rannte nach Haus
und plauderte dort alles aus.

Text: Wolfgang Hering

Il pollice è andato giù /
Der Daumen ist in den Brunnen gefallen

Originaltext 🎧 11

Il pollice è andato giù

Il pollice è andato giù,
l'indice l'ha tirato su,
il medio l'ha asciugato,
l'anulare ha fatto la zuppa,
il mignolo l'ha mangiata tutta.

Text: trad. aus Italien

Aussprache

Il pollitsche e andato dschu

Il pollitsche e andato dschu,
linditsche la tirato su,
il medio la aschugato.
Lanulare a fatto la zuppa,
il minjolo la mandschiato tutta.

Umsetzung

Diese Verse ähneln den Fingerspielen
auf Seite 18 und können mit identischen
Bewegungen begleitet werden.

Übersetzung

Der Daumen ist heruntergefallen

Der Daumen ist heruntergefallen,
der Zeigefinger hat ihn hochgezogen,
der Mittelfinger hat ihn getrocknet,
der Ringfinger hat eine Suppe gekocht,
der Kleine hat alles gegessen.

Deutsche Version

Der Daumen ist in den Brunnen gefallen

Der Daumen ist mit lautem Knallen
in einen tiefen Brunnen gefallen.
Der Zweite hat ihn ungelogen
alleine wieder rausgezogen.
Der Dritte hat ihn trocken gerüttelt,
für ihn die Bettdecke aufgeschüttelt.
Der Vierte kochte ihm ein Essen,
der Kleine hat alles aufgegessen.

Text: Wolfgang Hering

Ibu jari pertama /
Der Daumen ist gern auf dem ersten Platz

Ibu jari pertama

Ibu jari pertama.
Telunjuk jari kedua.
Yang tengah jari ketiga.
Keempat memakai cincin.
Yang kecil jari kelinking.
Tralalalala!
Trilililili!
Tralalalala!
Trilililili!

Text: trad. aus Indonesien

Umsetzung

Indonesisch ist eine Variante der malaiischen Sprache und diese gehört mit etwa 200 Millionen Sprechern zu den meistgesprochenen Sprachen der Erde. Das indonesische Fingerspiel beginnt mit dem Daumen, der immer der Erste sein will. Nach und nach werden die im Vers genannten Finger hochgestreckt. Bei der letzten Zeile können die Hände bei jedem „tralala" bzw. „trilili" umeinander gerollt werden (vorwärts und rückwärts im Wechsel). Beim letzten „li" bzw. „li" wird geklatscht.

Aussprache

Ibu dschari pertama

Ibu dschari pertama.
Telundschuk jari kədua.
Jang tnga dschari kətiga.
Kə əmpat məmakai dschindschin.
Jang kətschil dschari kəlingking.
Tralalalala!
Trilililili!
Tralalalala!
Trilililili!

Übersetzung

Der erste Finger ist die Mutter

Der erste Finger ist die Mutter.
Der zweite ist der Zeigefinger.
Der dritte ist der Mittelfinger.
Der vierte trägt einen Ring.
Der kleine heißt kleiner Finger.
Tralalalala!
Trilililili!
Tralalalala!
Trilililili!

Deutsche Version

Der Daumen ist gern auf dem ersten Platz

Der Daumen ist gern auf dem ersten Platz,
der Zweite, der ist ein gefräßiger Fratz.
Der Mittlere ist meist ein Sonderling.
Der Vierte, der trägt auch mal einen Ring.
Der Kleinste singt laut und ganz wunderbar:
„Tralala, tralala, tralalala."

Text: Wolfgang Hering

To je táta / La famiglia / Die ganz Familie / Die Familie

Originaltext 13

To je táta

To je táta,
to je máma,
to je dědek,
to je bába,
to je vnouček,
malý klouček.

Text: trad. aus Tschechien

Aussprache

To je tahta

To je tahta,
to je mahma,
to je djedek,
to je bahba,
to je wnoutschek,
malie kloutschek.

Originaltext 14

La famiglia

Qui c'è il pollice,
questo è l'indice,
questo è il medio
e l'anulare.
Chi c'è qua?
Chi c'è là!
Questo è il mignolo si sa.
La famiglia è tutta qua!

Text: trad. aus Italien

Aussprache

La familia

Qui tsche il pollitsche,
questo e linditsche,
questo e il medio
e lanulare.
Ki tsche qua?
Ki tsche la!
Questo e il minjolo si sa.
La familia e tutta qua!

Originaltext 15

Die ganz Familie

Das isch der Vater, lieb und guet,
das isch d'Muetter, mit em Fingerhuet,
das isch der Brüeder, stark und gross,
das isch d'Schwöschter, mit em Bäbi
uf em Schoss.
Und das isch s'Chind.
Und das isch die ganz Familie.

Text: trad. aus der Schweiz

Deutsche Version

Die Familie

Das ist Papa.
Das ist Mama.
Das ist Opa.
Das ist Oma.
Und wer ist nie alleine?
Das ist der Kleine.

Text: Wolfgang Hering

Umsetzung

Die Familie ist bei Fingerspielen in der ganzen Welt ein häufiges Thema. Hier werden drei Fassungen in Tschechisch, Schweizerdeutsch und Italienisch vorgestellt sowie eine deutsche Version. In allen Fingerspielen kommen die verschiedenen Familienmitglieder vor: Papa, Mama, Opa und Oma oder Bruder und Schwester und dann der (oder die) Kleine. Beim Aufsagen des Verses wird jeweils mit dem Daumen begonnen und die Finger werden der Reihe nach gezeigt.

Palac kaže / Der Daumen sagt

Palac kaže

Palac kaže: „Ajde, ajde!"
Kažiprst pita: „Kuda, kuda?"
Srednji kaže: „Našoj mami."
Prstenjak pita: „Da radimo, šta?"
Malić odgovara: „Da pijemo mlijeka!"

Text: trad. aus Kroatien

Aussprache

Palats kaschə

Palats kaschə: „Aide, aide!"
Kaschiprst pieta: „Kuda, kuda?"
Srednji kaschə: „Naschoj mami."
Prstenjak pieta: „Da radimo, schta?"
Malitsch odgowara: „Da pijemo mlijeka!"

Übersetzung

Der Daumen sagt

Der Daumen sagt: „Komm mit, komm mit!"
Der Zeigefinger fragt: „Wohin, wohin?"
Der Mittelfinger sagt: „Zu unserer Mama."
Der Ringfinger fragt: „Um was zu tun?"
Der Kleine sagt: „Um Milch zu trinken."

Umsetzung

Bei diesem Fingerspiel wird mit dem
Daumen begonnen. Die einzelnen Finger
können zu Beginn einer Verszeile aus der
geschlossenen Faust gestreckt werden
und wenn sie sprechen, wird damit gewackelt.

Deutsche Version

Der Daumen sagt

Der Daumen sagt: „Kommt alle mit!"
Der Zweite fragt: „Wohin führt der Schritt?"
Der Dritte ruft: „Zur Mama, na klar!"
Der Vierte fragt: „Was machen wir da?"
Der Kleine ruft: „Wir trinken dort Milch!",
und schon rennt er los, der kleine Knilch.

Text: Wolfgang Hering

Dä geit uf Afrika /
Der zieht um nach Afrika

Originaltext 🎧 17

Dä geit uf Afrika

Dä geit uf Afrika.
Dä luegt em truurig nah.
Dä seit: «Ade, ade!»
Dä seit: «Uf Wiederseh!»
Und dä Chlii seit: «Pass uf, im
Nil hed's grossi Krokodil!»

Text: trad. aus der Schweiz

Übersetzung

Der geht nach Afrika

Der geht nach Afrika.
Der schaut ihm traurig nach.
Der sagt: „Ade, ade!"
Der sagt: „Auf Wiedersehen!"
Und der Kleine sagt: „Pass auf, im
Nil gibt's große Krokodile!"

Umsetzung

Auch bei diesem Fingerspiel wird mit dem
Daumen begonnen. Beim Sprechen kann
die traurige Stimmung aufgegriffen und das
Maul des Krokodils mit beiden Armen dargestellt werden.

Deutsche Version

Der zieht um nach Afrika

Der zieht um nach Afrika.
Dem Zweiten geht das richtig nah.
Der Dritte kann das nicht verstehn.
Der Vierte sagt: „Auf Wiedersehn!"
Der Kleine ruft: „Pass auf, im Nil,
da schwimmt ein großes Krokodil!"

Text: Wolfgang Hering

ԲՈՒԹ ՄԱՏՆ ասաց / Wer wird kommen?

Originaltext 18

Բութ մատն ասաց

Բութ մատն ասաց՝ եկան, եկան:
Ցուցամատն ասաց՝ ովքե՞ր եկան:
Միջնմատն ասաց՝ գայլերն եկան:
Մատանեմատն ասաց՝ դե շու՛ տ, դե շու՛ տ,
ելեք փախչեք:
Ճկուրն ասաց՝ ծստլիկ եմ, պստլիկ եմ,
ոտքեր չունեմ, թևեր չունեմ,
ինչպե՞ս փախչեմ:
Բութ մատն ասաց՝ մենք չենք փախչի,
գայլերի դեմ չենք նահանջի,
ու ուսի տանք, դառնանք բռունցք,
ջարդենք նրանց քիթ ու մութ:

Text: trad. aus Armenien

Umsetzung

Nach und nach wird mit einer Hand an die genannten Finger der anderen Hand gefasst. Die Aussagen können außerdem mit der Stimme interpretiert werden, die Wölfe werden als bedrohlich dargestellt, der Kleine klingt ängstlich usw. Mit der vorletzten Zeile wird die Hand zur Faust geschlossen. Die letzte Zeile des Originaltextes kann und sollte bei der Umsetzung mit Kindern weggelassen werden.

Aussprache

But matn asatz

But matn asatz' ekan ekan:
Tzultzamatn asatz' ovker ekan:
Midschnamatn asatz' gaylern ekan:
Matnematn asatz' de schut, de schut,
elek pachtschek:
Tschekutn asatz' tschstlikem, pstlikem,
wotker tschunem, tewer tschunem,
intschpes pachtschem:
But matn asatz' menk tschenk pachtschi,
gayleri dem tschenk nahandschi,
us usi tank, darnank bruntzk,
dschardenk nrantz kit u mrut.

Übersetzung

Der Daumen sagte

Der Daumen sagte: „Sie kommen, sie kommen."
Der Zeigefinger sagte: „Wer kommt?"
Der Mittelfinger sagte: „Die Wölfe kommen."
Der Ringfinger sagte: „Lass uns weglaufen, schnell, schnell."
Der kleine Finger sagte: „Ich bin so dünn, ich bin so klein, ich habe keine großen Füße, keine Flügel. Wie kann ich schnell weggehen oder rennen?"
Der Daumen sagte: „Wir fliehen nicht. Wir weichen vor den Wölfen nicht zurück. Schulter an Schulter werden wir zu einer Faust, um ihnen Nase und Gesicht zu brechen."

Deutsche Version

Wer wird kommen?

Der Daumen sagt: „Sie kommen bald."
Der Zweite fragt: „Wer kommt aus dem Wald?"
Der Dritte klagt: „Die Wölfe sind da."
Der Vierte kennt ein Versteck ganz nah.
Der Kleine schreit: „Ich bin nicht so fit!
Sie werden mich jagen, nehmt mich bloß mit."
Der Daumen sagt: „Wir bleiben hier.
Gemeinsam sind wir stark wie ein Stier!"

Text: Wolfgang Hering

Eya bé / Was die Finger so sagen

Eya bé

Eya bé niè niè niè
eya bé nukèyé lé wowo
eya bé ado yé lé wui
eya bé wo lé wozémé
eya bé dè mia du
eya bé dada gbo ma toé né
déglé fosu sa sakplé
déglé fosu sa sakplé.

Text: trad. aus Togo

Dieser sagt

Der sagt: „Waa! Waa!"
Der sagt: „Was ist los mit ihm?"
Der sagt: „Er hat Hunger."
Der sagt: „Da ist Mehl in der Mehldose",
und fügt hinzu, „lasst uns eine Mahlzeit bereiten."
Der sagt: „Ich erzähle es Mama, wenn sie kommt."
„Der Daumen ist eine Tratschtante!"

Umsetzung

Die Sprache des Originaltextes ist Mina, ein Dialekt, der im Süden von Togo gesprochen wird. Bei diesem Fingerspiel wird mit dem kleinen Finger begonnen (ausstrecken) und der Daumen kommt erst bei der Zeile „eya bé dada ..." / „Ich sag es der Mama" an die Reihe. Am Ende des Originaltextes („dégle fosu sa sa ...") und der deutschen Version („Da rufen die andern ...") werden alle Finger (außer dem Daumen) gemeinsam gestreckt und „schimpfen" mit dem Daumen.

Eja be

Eja be ne ne ne
eja be nuke le wowo
eja bead ye le wui
eja be wo le wosemeh
eja be de mi du
eja be dada bo ma te ne
degle fosu sa sakple
degle fosu sa sakple.

Was die Finger so sagen

Der <u>Kleine</u> sagt: „Oh <u>oh</u>, oh oh."
Der <u>Nächste</u> fragt: „Warum <u>jammerst</u> du so?"
Der <u>Mittlere</u> sagt: „Sein <u>Magen</u> ist leer.
Holt <u>schnell</u> etwas zu <u>Essen</u> her!"
Der <u>Nächste</u> meint: „Die Mama ist weg,
da <u>ist</u> noch was Süßes in <u>einem</u> Versteck."
Der Daumen sagt: „Das <u>kommt</u> doch raus!
Ich <u>sag</u> es der Mama, gleich <u>kommt</u> sie nach Haus."
Da <u>rufen</u> die andern: „Lass <u>das</u> bitte sein!
Du <u>sollst</u> doch nicht petzen, das <u>wär</u> echt gemein!"

Text: Wolfgang Hering

J'ai dix doigts / Ich habe zehn Finger

Originaltext 🎧 20

J'ai dix doigts

J'ai dix doigts,
ils sont tous à moi.
Je peux les ouvrir,
je peux les fermer.
Je peux les faire danser en haut,
je peux les faire danser en bas.
Je peux les croiser,
je peux les rassembler
et je peux les fermer.

Text: trad. aus Frankreich

Umsetzung

Die Kinder bewegen die Finger wie im Vers beschreiben: Sie strecken sie zunächst aus und wackeln damit, dann schließen sie die Hände und bewegen die Finger nach oben und nach unten (an das Bein). In der letzten Zeile können die gefalteten Hände in den Schoß gelegt werden.

Aussprache

Dschä die doah

Dschä die doah,
il sõ tuhs a moa.
Dschə pö lesuwrir,
dschə pö le fermeh.
Dschə po le fär dãnseh ãn oh,
dschə pö le fär dãnseh ãn ba.
Dschə pö le kroaseh,
dschə pö le rassãmbleh
e dschə pö le fermeh.

Übersetzung

Ich habe zehn Finger

Ich habe zehn Finger,
sie sind alle mir.
Ich kann sie öffnen,
ich kann sie schließen.
Ich kann sie nach oben tanzen lassen,
ich kann sie nach unten tanzen lassen.
Ich kann sie kreuzen,
ich kann sie zusammenführen
und ich kann sie schließen.

Deutsche Version

Ich habe zehn Finger

Ich habe zehn Finger,
die hat jedes Kind.
Das Öffnen und Schließen
kann ich ganz geschwind.
Sie tanzen nach oben
und fliegen zum Bein.
Sie greifen ineinander
und schlafen dann ein.

Text: Wolfgang Hering

Monsieur et Madame Pouce / Herr und Frau Daumen

Originaltext 21

Monsieur et Madame Pouce

Monsieur et Madame Pouce sont à l'abri.
Ils regardent tomber la pluie.
La pluie tombe sur la prairie.
La pluie tombe sur la grand route.
Et le tout petit trotte sous son parapluie.

Text: trad. aus Frankreich

Aussprache

Misiö e Madam Puss

Mösiö e Madam Puss sä a labrih.
Il rəgard tombeh la plüi.
La plüi tomb sür la prärie.
La plüi tomb sür la grond ruht.
E lə tuh pəti trott su sä paraplüi.

Umsetzung

Bei diesem Fingerspiel werden die Daumen zunächst in der Faust eingeschlossen. Dann schauen sie zwischen Zeige- und Mittelfinger hervor („Ils regardent ..." / „doch sie schaun ..."). Bei „La pluie ..." / „Der Regen" wird mit den Fingern einer Hand auf den gegenüberliegenden Arm getrommelt, bei der nächsten Zeile wird die Seite gewechselt. Schließlich läuft ein kleiner Finger unter der anderen Hand als „parapluie" / „Schirm".

Übersetzung

Herr und Frau Daumen

Herr und Frau Daumen sind in der Hütte.
Sie beobachten, wie der Regen fällt.
Der Regen fällt auf die Wiese.
Der Regen fällt auf die große Straße.
Und der ganz Kleine läuft unter seinem Regenschirm.

Deutsche Version

Herr und Frau Daumen

Herr und Frau Daumen
sind in ihrem Haus.
Es prasselt der Regen,
doch sie schaun hinaus.
Der Regen fällt schneller,
es wird richtig kalt.
Doch der Kleine kommt trocken
mit dem Schirm aus dem Wald.

Text: Wolfgang Hering

Pouces cachés, pouces levés /
Daumen verstecken, Daumen recken

Umsetzung

Die Kinder bewegen ihre Finger und Hände so, wie es im Vers beschrieben wird. Beim Wort „tapette" *(Klopfer)* im Originaltext klopfen die Fäuste aneinander, bei „roulette" drehen sich die Hände vor dem Körper wie zwei (Roulette-)Kugeln umeinander und verschwinden danach hinter dem Rücken.

Originaltext 🎧 22

Pouces cachés, pouces levés

Pouces cachés, pouces levés,
doigts croisés, doigts frappés,
mains ouvertes, mains fermées.
petite tapette, petite roulette.

Text: trad. aus Frankreich

Aussprache

Puss kascheh, puss ləweh

Puss kascheh, puss ləweh,
doah kroaseh, doah frappeh,
Mã uwert, mã fermeh,
pətit tapett, pətit rulett.

Übersetzung

Daumen versteckt,
Daumen gestreckt

Daumen versteckt, Daumen gestreckt,
Finger gekreuzt, Finger geklatscht,
Hände offen, Hände geschlossen,
kleiner Klopfer, kleines Roulette.

Deutsche Version

Daumen verstecken,
Daumen recken

Daumen verstecken, Daumen recken,
Finger patschen, Finger klatschen.
Hände spreizen, Hände kreuzen,
sie spielen Roulette
und gehn dann ins Bett.

Text: Wolfgang Hering

Eins und eins macht zwei

Zahlenspiele mit den Händen

Die eigenen Finger sind hervorragende visuelle Hilfen beim Erlernen der Zahlen und beim Kennenlernen erster Sachverhalte im einfachen Rechenraum. Bei den folgenden Versen stehen jeweils unterschiedliche Zahlen im Mittelpunkt.

Umsetzung

Bei diesem Frage- und Antwortspiel können alle Kinder die fünf Zwerge mit den Fingern einer Hand darstellen. Alle Antworten (in Klammern) werden gestisch mit der entsprechenden Anzahl Finger angezeigt und von den Kindern laut ausgerufen. Nach und nach reduziert sich die Anzahl der Finger, bis schließlich am Ende alle wieder erscheinen.

Fünf Zwerge machen eine Reise

Fünf Zwerge machen eine Reise,
jeder ganz auf seine Weise.
Der eine sagt: „Ich bleibe hier."
Wie viele sind noch übrig? (Vier!)

Vier Zwerge wandern durch den Wald.
Es ist finster, es ist kalt.
Ein Zwerg verliert den Weg dabei.
Wie viele sind noch übrig? (Drei!)

Drei Zwerge springen übern Bach.
Der eine vor, der andre nach.
Der Dritte springt hinein – auwei!
Wie viele sind noch übrig? (Zwei!)

Zwei Zwerge klettern frisch und munter,
einer fällt den Berg hinunter.
So schnell wie dieser purzelt keiner.
Wie viele sind noch übrig? (Einer!)

Ein Zwerg, der packt den Kuchen aus
für einen feinen Gaumenschmaus.
„Den ess ich ganz alleine, ja!"
Doch schon sind alle wieder da!

Text: Wolfgang Hering

Three little nickels / Drei Münzen

Originaltext  23

Three little nickels

Three little nickels in a pocketbook new,
one bought a peppermint, and then there were two.
Two little nickels, before the day was done
one bought an ice cream, and then there was one.
One little nickel I heard it plainly say,
"I'm going into the piggy bank for a rainy day!"

Text: trad. aus den USA

Umsetzung

Dieses Fingerspiel benötigt nur drei Finger. Sowohl das Original als auch die deutsche Version können mit der rechten oder der linken Hand ausgeführt werden: Zunächst werden drei Finger hochgehalten, dann verschwinden diese nacheinander in der Faust.

Deutsche Version

Drei Münzen

Ein Säckchen mit Kleingeld, drei Münzen sind dabei.
Die Erste kauft ein Bonbon, da sind es nur noch zwei.
Zwei kleine Münzen, die hab ich noch, zum Glück!
Doch eine geht für Eiscreme weg, bleibt eine nur zurück.
Die letzte schlüpft ins Sparschwein, so gebt ihr sie nicht aus.
Wollt ihr euch mal was leisten, dann holt ihr sie heraus.

Text: Wolfgang Hering

Internationales Zahlengedicht

Viele Zahlen <u>kennen</u> wir,
starten jetzt von <u>eins</u> bis vier.
<u>Hört</u> gut zu mit <u>off</u>nem Ohr,
ich zähl ital<u>ie</u>nisch vor:
„Una, due, tre, quatro." *(2×)*
<u>Hört</u> gut zu mit <u>off</u>nem Ohr,
ich zähl nun auf <u>Spa</u>nisch vor:
„Uno, dos, tres, cuatro." *(2×)*

Text: Wolfgang Hering

Umsetzung

Bei diesem Vers können beliebige Sprachen zum Einsatz kommen (Beispiele unten, Aussprache jeweils in Klammern). Die Kinder zählen begleitend zur fünften Verszeile zunächst mit den Fingern und sprechen bei der Wiederholung die Zahlwörter mit.

	eins	**zwei**	**drei**	**vier**
Chinesisch	一 *(itschi)*	二 *(ni)*	三 *(san)*	四 *(jon)*
Englisch	one	two	three	four
Französisch	un *(ã)*	deux *(dö)*	trois *(troa)*	quatre *(katr)*
Griechisch	ένα *(ena)*	δύο *(θyo)*	τρία *(tria)*	τέσσερα *(tessera)*
Hindi (Indien)	एक *(ek)*	दो *(do)*	तीन *(tiin)*	चार *(tschaar)*
Indonesisch	satu	dua	tiga	empat
Italienisch	uno	due	tre	quattro
Kroatisch / Serbisch / Bosnisch	jedan	dva	tri	četiri *(tschətiri)*
Kurdisch	yek *(jek)*	du	sê	çar *(tschaar)*
Marokkanisch	واحد *(wähd)*	جوج *(jusch)*	ثلاثة *(tlätta)*	اربعة *(rbaa)*
Pakistanisch (Urdu)	ایک *(ek)*	دو *(do)*	تین *(tiin)*	چار *(tschaar)*
Polnisch	jeden	dwa	trzy *(tschə)*	cztery *(tschtärə)*
Portugiesisch	um	dois	três	quatro
Russisch	Один *(odin)*	два *(dva)*	три *(tri)*	четыре *(tschetyre)*
Slowenisch	ena	dva	tri	štiri *(schtiri)*
Spanisch	uno	dos	tres	cuatro *(kwatro)*
Türkisch	bir	iki	üç *(ütsch)*	dört

Một vó̕i một / Eins und eins

Originaltext 🎧 24

Một vó̕i một

Một với một là hai.
Hai thêm hai là bốn.
Bốn với một là năm.
Năm ngón tay sạch đều.

Text: trad. aus Vietnam

Aussprache

Mot woi mot

Mot woi mot la hai.
Hai tem hai la bon.
Bon woi mot la nam.
Nam nogn tai sak deu.

Übersetzung

Eins und eins

Eins und eins sind zwei,
zwei und zwei sind vier,
vier und eins sind fünf.
Alle fünf Finger sind sauber.

Deutsche Version

Eins und eins

Eins und eins sind zwei,
die Finger sind dabei.
Zwei und zwei sind vier,
zeigt sie alle hier.
Vier und eins dazu.
Die Hand ist voll im Nu.
So zeigt ein jedes Kind,
dass sie sauber sind.

Text: Wolfgang Hering

Umsetzung

Bei diesem Vers handelt es sich um den Refrain eines Liedes, der auch sehr gut vor dem Essen gesprochen werden kann. Passend zum Text zeigen die Kinder die genannte Anzahl Finger. Besondere Bedeutung hat beim Sprechen im Vietnamesischen die Tonhöhe, die über Apostrophe dargestellt wird und über die ein Wort häufig erst seine Bedeutung erhält (z. B. má = Mutter, mã = Pferd, ma = Geist).

Morra / Zahlenspiel

Italien, Spanien, Frankreich

Eins, zwei, drei,
Mathe ist dabei.
Sag eine Zahl,
du hast die Wahl.

Text: Wolfgang Hering

Umsetzung

Morra ist ein traditionelles Fingerspiel, das in verschiedenen Ländern (Italien, Spanien, Frankreich) bekannt ist. Das Spiel erinnert an *Schnick, schnack, schnuck* und war schon im alten Rom sehr verbreitet.
Zwei Partner stehen sich gegenüber und zählen bis drei (in einer beliebigen Sprache, siehe auch Seite 31). Dann zeigen sie gleichzeitig mit jeweils einer Hand eine beliebige Anzahl Finger und rufen dazu eine Zahl zwischen zwei und zehn. Wer die Summe der gezeigten Finger (beider Partner zusammen) richtig genannt hat, bekommt einen Punkt. Es wird gespielt, bis ein Spieler eine vereinbarte Gesamtpunktzahl (oft 16 oder 21) erreicht hat. Statt bis drei zu zählen, können die Spieler auch den deutschen Sprechvers aufsagen, hierzu werden gleichzeitig mit der letzten Silbe „Wahl" die Finger vorgezeigt.

Sağ elimde beş parmak / Fünf Finger an der Hand ♪ S. 122

♪ S. 122

Originaltext 🎧 25

Sağ elimde beş parmak

Sağ elimde beş parmak,
sol elimde beş parmak,
say bak, say bak, say bak:
1, 2, 3, 4, 5, 1, 2, 3, 4, 5
(bir, iki, üç, dört, beş, bir, iki, üç, dört, beş)
Hepsi eder on parmak,
sen de istersen say bak,
say bak, say bak, say bak:
1, 2, 3, 4, 5, 6, 7, 8, 9, 10
(bir, iki, üç, dört, beş, altı, yedi, sekiz, dokuz, on)

Text: trad. aus der Türkei

Aussprache

Sa elimde besch parmak

Sa elimde besch parmak,
sol elimde besch parmak,
sai bak, sai bak, sai bak:
bir, iki, ütsch, dört, besch,
bir, iki, ütsch, dört, besch.
Hepsi eder on parmak,
sen de istersen sai bak,
sai bak, sai bak, sai bak:
bir, iki, ütsch, dört, besch,
altə, jedi, sekis, dokus, on.

Übersetzung

Fünf Finger an der rechten Hand

An der rechten Hand fünf Finger,
an der linken Hand fünf Finger,
zähle nach, zähle nach, zähle nach:
1, 2, 3, 4, 5, 1, 2, 3, 4, 5
Zusammen sind das zehn Finger.
Wenn du möchtest, zähle nach,
zähle nach, zähle nach, zähle nach:
1, 2, 3, 4, 5, 6, 7, 8, 9, 10.

Deutsche Version

Fünf Finger an der Hand

Fünf Finger an der rechten Hand,
die sind außer Rand und Band.
Sie zeigen hier jetzt eine Schau,
schaut mal alle ganz genau:
1, 2, 3 zählt aus dem Stand,
4 und 5, zur ganzen Hand.
Fünf Finger an der linken Hand,
die sind außer Rand und Band.
Sie zeigen hier jetzt eine Schau,
schaut mal alle ganz genau:
1, 2, 3 zählt aus dem Stand,
4 und 5, zur ganzen Hand.
Dann seht ihr im Handumdrehn,
zusammen sind es schließlich zehn:
1, 2, 3, 4, 5, 6, 7, 8, 9,10.

Text: Wolfgang Hering

Umsetzung

Eine schöne Idee steckt hinter diesem türkischen Zahlen-Fingerspiel: Im ersten Teil des Verses wird zunächst die rechte Hand („sağ elimde") und dann die linke Hand („sol elimde") hochgehalten, dann werden an jeder Hand die fünf Finger (beginnend beim Daumen) abgezählt. Im zweiten Teil werden erneut beide Hände nacheinander gezeigt, beim Zählen wird jedoch bei der zweiten Hand mit der Zahl sechs begonnen und bis zehn gezählt. Bei der deutschen Version wurde diese Spielidee in ähnlicher Form aufgegriffen.

I caught a fish / Der gefangene Fisch  S. 122

Originaltext 🎧 26

I caught a fish

<u>One</u>, two, <u>three</u>, four, five,
<u>once</u> I caught a <u>fish</u> alive.
<u>Six</u>, seven, <u>eight</u>, nine, ten,
<u>then</u> I let it <u>go</u> again.
<u>Why</u> did you <u>let</u> him go?
Be<u>cause</u> it bit my <u>finger</u> so!
<u>Which</u> finger <u>did</u> it bite?
<u>This</u> little finger <u>on</u> my right.

Text: trad. aus Großbritannien / USA

Deutsche Version

Der gefangene Fisch

<u>Eins</u>, zwei, drei, vier, <u>fünf</u>, ganz frisch
<u>fing</u> ich einen großen Fisch.
<u>Sechs</u> und sieben, <u>acht</u>, neun, zehn,
<u>doch</u> ich ließ ihn <u>wieder</u> gehn.
<u>Warum</u> wollt ihr <u>gerne</u> wissen?
<u>Er</u> hat mich so<u>gleich</u> gebissen!
<u>Welchen</u> Finger <u>biss</u> das Tier?
<u>Meinen</u> kleinen <u>Finger</u> hier!

Text: Wolfgang Hering

Umsetzung

Für die Bewegungen zu diesen Versen werden beide Hände benötigt:

- Zunächst nacheinander zu den Zahlwörtern alle fünf Finger der rechten Hand strecken, dann zu „I caught a fish" bzw. „fing ich einen großen Fisch" eine „Schnapp-Bewegung" mit der Hand machen,
- anschließend die Finger der linken Hand nacheinander strecken und die rechte Hand wieder öffnen zu „I let it go" oder „doch ich ließ ihn wieder gehn".
- Begleitend zur fünften Zeile eine fragende Bewegung mit den Armen und Schultern machen, danach den Kopf hin und her neigen.
- Am Schluss den kleinen Finger der rechten Hand aus der Faust strecken und damit wackeln.

Tipp Statt des Begriffs „fish" / „Fisch" können in beiden Textvarianten auch andere Tiere, wie z. B. „crab" / „Krebs" oder „eel" / „Aal" eingesetzt werden.

En og to / Zahlen-Fingerspiel

En og to

En og to
gikk ut i sko.
Tre og fire
spilte på lire.
Fem og seks
spiste en kjeks.
Sju og åtte
sprang for en rotte.
Ni og ti
slog eng og li.
Elleve tolv
datt i koll.

Text: trad. aus Norwegen

Umsetzung

Die Kinder zeigen die im Vers genannten Zahlen mit der entsprechenden Anzahl Finger. Zu dem norwegischen Original werden
bei „elleve" *(elf)* und „tolv" *(zwölf)* zuerst alle zehn Finger und
dann zusätzlich noch ein bzw. zwei Finger hochgehalten.

Aussprache

En o tu

En o tu
jick üt i sku.
Tre o fire
spilte po lire.
Fem o sex
spiste en chex.
Schu o otte
sprang for en rotte.
Ni o ti
schlu eng o li.
Elewe toll
datt i koll.

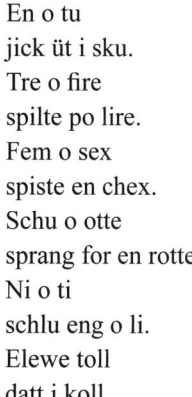

Übersetzung

Eins und zwei

Eins und zwei,
gingen hinaus in Schuhen.
Drei und vier,
spielten auf der Leier.
Fünf und sechs,
aßen einen Keks.
Sieben und acht,
sprangen einer Ratte davon.
Neun und zehn,
mähten die Wiese und den Hang.
Elf, zwölf,
fielen hin.

Deutsche Version

Zahlen-Fingerspiel

Eins und zwei,
welch Sauerei,
drei und vier,
dort am Klavier,
fünf und sechs,
ein großer Klecks,
sieben, acht,
seit heute Nacht!
Neun und zehn,
Das ist nicht schön!

Text: Wolfgang Hering

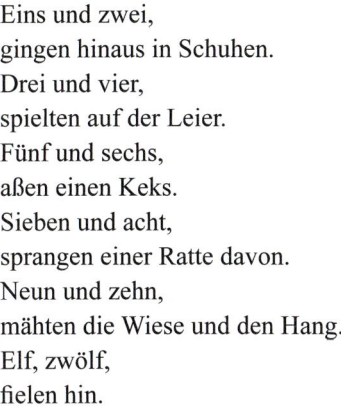

یکک دوگک شانزده /

Eins und zwei ist sechzehn

Originaltext 🎧 28

یکک دوگک شانزده

یکک دوگک شانزده

کی میگوید شانزده؟

من میگویم شانزده

تو میگویی شانزده

او میگوید شانزده

ما میگوییم شانزده

شما میگویید شانزده

انها میگویند شانزده

بیا بشمر شانزده!

Text: trad. aus Afghanistan

Aussprache

Jekek dokek schãnsdä

Jekek dokek schãnsdä.
Kime gujed schãnsdä.
Man me gujam schãnsdä.
To me guji schãnsdä.
O me gujed schãnsdä.
Mã me gujim schãnsdä.
Schomãme gujid schãnsdä.
Anha me gujand schãnsdä.
Bija bischmor schãnsdä!

Umsetzung

Zwei Kinder sitzen sich gegenüber, sie haben die Ellenbogen aufgestützt und drücken ihre linken Hände mit den Handflächen gegeneinander (oder Handgelenke umfassen). Dann klatschen sie mit den rechten Händen abwechselnd ober- und unterhalb der linken Hände im Rhythmus des Sprechverses gegeneinander. Während des Sprechens wird immer mehr das Tempo gesteigert. Am Ende versuchen beide bei dem letzten „schãnsdä" bzw. bei „16" genau gleichzeitig mit dem ganzen Körper „einzufrieren" (und nicht zu klatschen).

Übersetzung

Eins und zwei ist sechzehn

Eins und zwei ist sechzehn.
Wer sagt sechzehn?
Ich sage sechzehn.
Du sagst sechzehn.
Er sagt sechzehn.
Wir sagen sechzehn.
Ihr sagt sechzehn.
Sie sagen sechzehn.
Komm und zähl bis sechzehn!

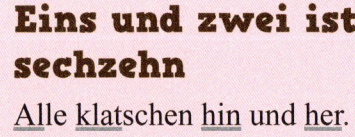

Deutsche Version

Eins und zwei ist sechzehn

Alle klatschen hin und her.
Dieser Rhythmus ist nicht schwer.
Geht das schneller? Bleibt im Takt.
Klatscht ein jeder ganz exakt.
Was passiert am Ende bloß?
Zählt bis sechzehn, jetzt geht's los:
1, 2, 3, 4, 5, 6, 7, 8, 9, 10,
11, 12, 13, 14, 15, 16.

Text: Wolfgang Hering

Guten Appetit!

Rund ums Kochen und Essen

Viele Fingerspiele haben Speisen und Getränke zum Thema, mit diesen kann im Alltag besonders gut das gemeinsame Essen eingeleitet oder begleitet werden.

Viele kleine Fische

Viele kleine Fische
schwimmen heut zu Tische,
reichen sich die Flossen.
Dann haben sie beschlossen,
nicht mehr viel zu blubbern,
stattdessen was zu futtern.
Drum rufen alle mit:
„Guten Appetit!"

Text: trad., Bearbeitung: Wolfgang Hering

Umsetzung

Dieser Vers eignet sich gut zu Beginn einer Mahlzeit in der Gruppe. Beim Sprechen werden zunächst mit beiden Händen kleine Fische dargestellt. Dann reichen sich alle die „Flossen", sprechen den folgenden Text ganz leise und rufen abschließend „Guten Appetit" laut heraus. Alternativ können die gefassten Hände im Sprechrhythmus des gesamten Verses auf und nieder bewegt werden.

Varila myšička kašičku / Mama Maus kocht einen Brei

Originaltext 29

Varila myšička kašičku

Varila myšička kašičku,
v maľovanom hrniečku,
tomu dala na lyžičku,
tomu dala na mištičku,
tomu dala na tanierik,
tomu dala na varešku.
A tomu malému nič nedala,
lebo už nič nemala
a poslala ho do komôrky na lekvár.

Text: trad. aus der Slowakei

Aussprache

Warila mischitscka kaschitschku

Warila mischitscka kaschitschku,
w malowanom hrniätschku,
tomu dala na lischitschku,
tomu dala na mischtitschku,
tomu dala na taniärik,
tomu dala na wareschku.
A tomu malehmu nitsch nedala,
lebo usch nitsch nemala
a poslala ho do komuorky na lekwahr.

Umsetzung

Bei ganz kleinen Kindern wird zu diesem Vers mit einem Finger in der Handfläche „gerührt". Dann werden die Fingerchen nacheinander berührt. Am Ende läuft eine Hand als kleine Maus den Arm des Kindes hinauf und kitzelt es unter dem Arm. Größere Kinder können für Mama Maus (Daumen) und die vier Mäuse die Finger nacheinander ausstrecken. Zusätzlich können Requisiten aus der Küche beim Darstellen einbezogen werden.

Deutsche Version

Mama Maus kocht einen Brei

Mama Maus kocht einen Brei,
sie singt und pfeift ein Lied dabei.
Vier Mäuschen sind schon ganz erpicht
und warten auf ihr Leibgericht.
Mama stellt den Brei heraus,
und gibt davon der ersten Maus.
Die zweite ist auch gut auf Trab
und kriegt ne große Schale ab.
Den Teller voll mit sehr viel Brei,
den gibt es auch für Nummer drei.
Nun ist doch wirklich, was ein Graus,
nichts übrig für die kleine Maus.
Die Mama ruft: „Das ist ein Jammer,
lauf schnell mal in die Speisekammer.
Das macht dir sicher sehr viel Spaß:
Nimm dir das Marmeladenglas!"
Das Mäuschen liebt das süße Essen,
der Hunger ist sehr schnell vergessen.

Übersetzung

Mama Maus kocht Brei

Mama Maus kocht Brei
in einem bemalten Topf.
Dieser (Maus) gibt sie davon einen Löffel,
dieser gibt sie davon eine Schale,
dieser gibt sie etwas auf einem Holzlöffel.
Der Kleinen gibt sie nichts,
weil sie nichts mehr hat,
und schickt sie zur Speisekammer,
um Marmelade zu holen.

Text: Wolfgang Hering

Um, dois, feijão com arroz /
Eins, zwei, mit nem Ei

Originaltext 🎧 30

Um, dois, feijão com arroz

Um, dois, feijão com arroz,
três, quatro, feijão no prato,
cinco, seis, com molho inglês,
sete, oito, comer biscoito,
nove, dez, comer pastéis.

Text: trad. aus Portugal

Umsetzung

Zu diesem portugiesischen Aufzählvers und auch zur deutschen Version werden die Finger beider Hände nacheinander aus der Faust gestreckt.

Aussprache

Um, dois, fäischã cõ arrois

Um, dois, fäischã cõ arrois,
tres, quatro, fäischã no prato,
sinko, säis, com moljo ingläs,
setschi, oito, komär biskoito,
nowi, däis, komär pastäis.

Übersetzung

Eins, zwei, Bohnen und Reis

Eins, zwei, Bohnen und Reis,
drei, vier, Bohnen auf dem Teller,
fünf, sechs, englische Soße,
sieben, acht, einen Keks essen,
neun, zehn, Gebäck essen.

Deutsche Version

Eins, zwei, mit nem Ei

Eins, zwei, mit nem Ei,
drei, vier, auch Brot gibt's hier,
fünf, sechs, mit Sahneklecks,
sieben, acht, der Kuchen lacht,
neun und zehn, Zeit zu gehn.

Text: Wolfgang Hering

Aquel va quèrre de pan / Guten Appetit

Aquel va quèrre de pan

Aquel va quèrre de pan.
Aquel va quèrre de vin.
Aquel bota la taula.
Aquel trempa la sopa.
Aquel ditz: «Bon apetis!»

Text: trad. aus Südfrankreich

Akell wa kerre de pa

Akell wa kerre de pa.
Akell wa kerre de wi.
Akell buto la taulo.
Akell trempo la supo.
Akell dis: «Bon apetis!»

Umsetzung

Dieser einfache Vers kann sowohl mit dem Daumen als auch mit dem kleinen Finger begonnen werden. Die Finger werden z.B. mit dem Daumen und dem Zeigefinger der anderen Hand gefasst und gestreckt.

Dieser bringt das Brot

Dieser geht, um Brot zu holen.
Dieser geht, um Wein zu holen.
Dieser deckt den Tisch.
Dieser tunkt in die Suppe.
Dieser sagt: „Guten Appetit!"

Guten Appetit

Dieser trägt das Brot herbei,
dieser Käseallerlei.
Dieser kommt zur Tür herein
und schenkt Limonade ein.
Dieser bringt die Suppe mit,
der ruft: „Guten Appetit!".

Text: Wolfgang Hering

W pokoiku na stoliku / Auf dem Tisch

Originaltext 🎧 32

W pokoiku na stoliku

W pokoiku na stoliku
stało mleczko i jajeczko.
Przyszedł kotek, wypił mleczko,
a ogonkiem zbił jajeczko.
Przyszła mama, kotka zbiła,
a skorupki wyrzuciła.

Text: trad. aus Polen

Aussprache

W pokoiku na stoliku

W pokoiku na stoliku.
stauo mletschko i jajetschko.
Pschəsched kotek, wəpiu mletschko,
a ogonkjem zbiu jajetschko.
Pschəschua mama, kotka sbiua,
a skorupki wərschutschiua.

Deutsche Version

Auf dem Tisch

In dem Zimmer auf dem Tisch
steht die Milch und auch ein Ei.
Kommt die Katze, trinkt die Milch,
stößt das Ei vom Tisch dabei.
Kommt Mama zur Tür herein
und verscheucht das Tier sofort:
„Ach, am Boden liegt ein Ei,
ich kehr es auf und werf es fort!"

Text: Wolfgang Hering

Übersetzung

Im Zimmer auf dem Tisch

Im Zimmer auf dem Tisch
standen Milch und ein Ei.
Die Katze kam, trank die Milch
und zerschlug mit dem Schwanz das Ei.
Die Mama kam, stieß die Katze
und warf die Eierschalen weg.

Umsetzung

- Mit der linken Hand zum Wort „mleczko" bzw. „Milch" in der zweiten Verszeile eine Schale formen, die rechte Hand zeigt mit Daumen und Zeigefinger ein „jajeczko"/„Ei",
- dann mit der linken Hand zunächst eine Faust als Kopf der Katze („kotek") hochhalten, die rechte Hand „fällt" als Ei zum Boden.
- Abschließend mit links die Katze verscheuchen (mit der Hand wedeln), die rechte Hand verschwindet mit der letzten Verszeile hinter dem Rücken.

Borsót főztem /
Ich koche gerne Erbsen

Originaltext 🎧 33

Borsót főztem

Borsót főztem,
jól megsóztam,
meg is parikáztam,
ábele, *bábele*, fuss!

Text: trad. aus Ungarn

Aussprache

Borschoht föhstäm

Borschoht föhstäm,
johl mägschohstäm,
mäg isch pãprikastäm,
ahbälä, bahbälä, fusch!

Übersetzung

Ich habe Erbsen gekocht

Ich habe Erbsen gekocht,
Ich habe gut gesalzen,
und auch mit Chili gewürzt,
ábele, bábele, lauf!

Umsetzung

- Zunächst zum Wort „főztem" in einem Handteller des Kindes „kochen" (mit dem Finger rühren),
- dann zu „megsóztam" das Gericht „salzen" (Finger über dem Handteller reiben),
- in der dritten Zeile zu „paprikáztam" bzw. „Paprika" mit den Fingern auf die Handfläche tippen.
- Am Ende mit zwei Fingern auf dem Arm des Kindes entlanglaufen.

In der letzten Zeile des Originaltextes (statt „ábele, bábele") können Namen der Kinder eingesetzt werden. Zur deutschen Fassung können alle Kinder auch selbst die oben genannten Bewegungen ausführen und weitere ergänzen, z. B. den Bauch reiben („ihr werdet sicher satt") und einen imaginären Löffel zum Mund führen („der großen Hunger hat").

Deutsche Version

Ich koche gerne Erbsen

Ich koche gerne Erbsen.
Ja, das schmeckt wunderbar.
Sie werden gut gesalzen,
gewürzt mit Paprika.
Dann sind die Erbsen fertig,
ihr werdet sicher satt.
Ein jeder kommt zum Essen,
der großen Hunger hat.

Text: Wolfgang Hering

Cepu, cepu kukulīti / Brot backen

Originaltext 🎧 34

Cepu, cepu kukulīti

Cepu, cepu kukulīti,
citu lielu, citu mazu,
atnáks, mani báleliņi,
citi lieli, citi mazi.

Text: trad. aus Lettland

Aussprache

Zepu, zepu kukulieti

Zepu, zepu kukulieti,
zitu liälu, zitu masu,
atnãks mani bãlelinji,
ziti liäli, ziti masi.

Umsetzung

Die im Text beschriebenen Begriffe werden gestisch mit den Händen dargestellt:

- Begleitend zur ersten Textzeile beider Versionen mit den Händen einen Teig kneten, zur deutschen Textversion anschließend das Brot in den Ofen schieben.
- Das große und kleine Gebäck („citu lielu, citu mazu") im Originaltext durch entsprechende Gesten mit Daumen und Zeigefinger darstellen (Finger eng zusammen halten oder ausstrecken),
- die kleinen und großen Brüder durch das Berühren des Zeigefingers (groß) und des kleinen Fingers verdeutlichen.
- Am Ende der deutschen Version verschwinden die Hände hinter dem Rücken.

Übersetzung

Backe, backe Gebäck

Backe, backe Gebäck,
dieses groß, dieses klein,
meine Brüder kommen,
manche groß,
manche klein.

Deutsche Version

Brot backen

Wir kneten jetzt den Teig,
bald duftet es im Haus.
Der kommt gleich in den Ofen
und Brot entsteht daraus.
Da kommen meine Brüder,
der klein und dieser groß,
und augenblicklich bin ich
mein Brot schon wieder los.

Text: Wolfgang Hering

கீரை கடையிறன் / **Leckere Speisen**

Originaltext 🎧 35

கீரை கடையிறன்
கீரை கடையிறன்
கீரை கடையிறன்
நண்டு ஊருது நரி ஊருது
மாமி வீட்டை போற வழி
எந்த வழி இந்த வழி?

Text: trad. aus Sri Lanka

Aussprache

Kiräi kadairien

Kiräi kadäirien,
kiräi kadäirien,
nandu uruθu, nari uruθu,
mami widde pore valli,
ende valli inde valli?

Übersetzung

Spinat mörsern

Spinat mörsern,
Spinat mörsern,
der Krebs krabbelt, der Fuchs schleicht,
auf dem Weg zum Haus der Tante,
welchen Weg, diesen Weg?

Deutsche Version

Leckere Speisen

Ihr macht jetzt große Augen,
wie eine kleine Maus.
Wir müssen was zerkleinern,
Spinat wird dann daraus.
Dann gehn wir wie die Krebse,
wir krabbeln schnell und stumm
und schleichen als ein Fuchs nun
am Berg ganz langsam rum.
Wir gehn zu unsrer Tante,
ein ganz besondrer Ort
und wenn wir dort sind, kitzelt
die Tante dich sofort.

Text: Wolfgang Hering

Umsetzung

Dieses Spiel kann ein Erwachsener mit einem Kind ausführen oder zwei Kinder jeweils als Paar, wobei nur eins von beiden die Bewegungen am Arm des anderen Kindes ausführt. Zunächst werden im Kreis Gemüse- und Obstsorten aufgezählt. Dann lernen die Kinder den Spinat kennen (auf einem Bild oder zum Anfassen und Herumreichen). Zum gesprochenen Text wird anschließend der Bewegungsablauf ausgeführt:

- Zunächst mit dem Ellenbogen auf der Handfläche den Spinat kleindrücken (mörsern),
- für den Krebs mit einigen Fingern über den Handrücken krabbeln, der Fuchs schleicht sich mit sanften Bewegungen der Finger den Arm hoch.
- Am Ende verharren die Finger in der Ellenbeuge und kitzeln dort.

Crni luk / Die Zwiebel

Crni luk

Ljutio se crni luk:
„Skinuše mi prsluk žut,
skinuše mi košuljicu
pa sad ne smem na ulicu.
Svi bi rekli: Kako to,
crni luk se šeta go?"

Text: trad. aus Serbien/Kroatien/Bosnien

Umsetzung

- Zu Beginn mit einer Hand die Faust der anderen Hand wie mit einer Zwiebelschale umschließen,
- dann löst sich beim Wort „prsluk" (Weste) bzw. „Haut" die Hand nach und nach von der umschlossenen Faust.
- Schließlich die offene Hand hinter dem Rücken verschwinden lassen, sodass die Zwiebel zur letzten Verszeile vollständig „geschält" ist.

Aussprache

Tsrni luk

Ljutio se tsrni luk:
„Skinusche mi prsluk schut
Skinusche mi koschuljitsu
pa sad ne smem na ulitsu.
Swi bi rekli: Kako to,
tsrni luk se scheta go?"

Übersetzung

Die Zwiebel

Es ärgerte sich die Zwiebel:
„Ihr zieht mir die gelbe Weste
und das Hemd aus,
jetzt kann ich nicht mehr auf die Straße gehen.
Alle werden sagen: Warum spaziert
die Zwiebel nackt herum?"

Deutsche Version

Die Zwiebel

Es ärgert sich die Zwiebel:
„Ihr nahmt mir meine Haut,
ich fühl mich ausgezogen,
hab mich nicht rausgetraut.
Man dreht sich nach mir um:
,Die läuft ja nackt herum!'"

Text: Wolfgang Hering

Bolli, bolli pentolino / Das Lagerfeuer

Originaltext 🎧 37

Bolli, bolli pentolino

Bolli, bolli pentolino!
Senza legna non fa fuoco,
con una legna ne fa poco,
con due legne un fuocherello,
con tre legne un fuoco bello!

Text: trad. aus Italien

Aussprache

Bolli, bolli pentolino

Bolli, bolli pentolino!
Senza lenja non fa fuoko,
kon una lenja ne fa poko,
kon due lenje un fuokerello,
kon tre lenje un fuoko bello!

Umsetzung

Für dieses populäre Fingerspiel aus Italien werden drei Finger (z. B. Daumen, Zeige- und Mittelfinger) gebraucht. Sie werden zu den Zeilen 3 – 5 des Originaltextes bzw. ab der fünften Zeile der deutschen Version nacheinander ausgestreckt .

Übersetzung

Koche, koche, Töpfchen

Koche, koche, Töpfchen!
Ohne Brennholz gibt es kein Feuer.
Mit nur einem Brennholz gibt es wenig Feuer,
mit zwei Brennhölzern ein Feuerchen,
mit drei Brennhölzern ein schönes Feuer!

Deutsche Version

Das Lagerfeuer

Wir machen, gar nicht teuer,
heut ein Lagerfeuer.
Ihr müsst jetzt erstmal rennen,
wir brauchen Holz zum Brennen.
Ein Hölzchen ist, ganz ehrlich,
für eine Glut zu spärlich,
doch glühen zwei zusammen,
gibt das schon richtge Flammen.
Drei Hölzchen dann, oho,
schon brennt es lichterloh!

Text: Wolfgang Hering

Im Garten

Von Blumen und Tieren

Ein Käfer fängt zu klettern an

Ein Käfer fängt zu klettern an.
Er steigt, so weit er steigen kann
an einem Grashalm hoch hinauf
und hält erst oben ein im Lauf.

Nun steht er wie auf einem Turm.
Da bläst ein arger Wirbelsturm.
Der Halm schwankt hin,
der Halm schwankt her,
er beugt sich tief, er beugt sich sehr.

Ach, wie der Käfer sich da hält,
damit er nicht hinunterfällt.
Da bläst noch mehr der starke Wind,
der Käfer fällt hinab geschwind.

Ihr meint, das tat ihm ganz schön weh?
Oh nein, er guckt nur in die Höh
und lacht und rappelt sich schnell auf
und steigt am nächsten Halm hinauf.

Text: trad., Bearbeitung: Wolfgang Hering

Die Pflanzen und Lebewesen des Gartens sind für Kinder ein besonderes Lernfeld. Diese werden auch in den Fingerspielen zahlreicher Kulturen thematisiert, sodass viele Begriffe und Wortfelder hier neu entdeckt werden können.

Umsetzung

Ein Arm stellt den Grashalm dar, an dem die andere Hand wie ein Käfer hochkrabbelt bis zu den Fingerspitzen. Beim „Wirbelsturm" blasen alle kräftig gegen ihre Hände und die Hände fangen gemeinsam an sich hin und her zu biegen. Schließlich fällt der Käfer hinunter, die Hand landet auf dem Oberschenkel und ein Finger schaut den Halm hinauf. Dann beginnt das Spiel von vorne. In einem zweiten Durchlauf können die Seiten gewechselt werden und der andere Arm wird zum Grashalm.

Én kis kertet kerteltem / Mein kleiner Garten 🎵 S. 122

Originaltext 🎧 38

Én kis kertet kerteltem

Én kis kertet kerteltem,
bazsa rózsát ültettem.
Szél, fújja fújdogálja,
eső, eső veregeti, huss!

Text: trad. aus Ungarn

Aussprache

En kisch kärtät kärtältäm

En kisch kärtät kärtältäm,
bäschä rohschat ültättäm,
sel fujä fuidogaljä,
äschöh, äschöh wärägäti, husch!

Übersetzung

Ich hatte einen kleinen Garten

Ich hatte einen kleinen Garten,
ich pflanzte eine Pfingstrose.
Der Wind bläst,
Regen, Regenwürmer, husch!

Umsetzung

Beide Fassungen dieses Verses können mit ähnlichen Bewegungen begleitet werden:

- Den kleinen Garten („kis kertet") mit der flachen linken Hand (Handrücken nach oben) formen,
- zum Wort „bazsa rózsát" (Pfingstrosen) bzw. „Blumen" die Finger der rechten Hand zwischen den Fingern der linken Hand nach oben strecken,
- nach „fújja fújdogálja" / „im Wind bewegen" mit dem Mund auf die Finger pusten, diese bewegen sich dazu.
- Am Ende kommt der Regen („eső"): Die Fingerspitzen der rechten Hand tippen auf den Handrücken der linken Hand.

Deutsche Version

Mein kleiner Garten

Ich habe einen kleinen Garten
mit Blumen drin in vielen Arten.
Seht, wie sie sich im Wind bewegen
und irgendwann, da kommt der Regen.

Text: Wolfgang Hering

Iš, iš, iš / Raus, kleine Maus

Originaltext  39

Iš, iš, iš

Iš, iš, iš!
Ja sam mali miš,
ti si mala cica maca,
bjež' u rupu miš.

Text: trad. aus Kroatien

Umsetzung

Die beiden Tiere Maus und Katze werden mit je einer
Hand dargestellt. Dafür jeweils Daumen, Ringfinger und
kleinen Finger zusammenführen (als Schnauze), bei
der Maus Zeige- und Mittelfinger abknicken („runde"
Ohren), bei der Katze gestreckt lassen. Zu Beginn des
Verses werden beide Hände hinter dem Rücken hervor
geholt, dann werden die Tiere präsentiert. Am Ende
jagt die Katze die Maus und diese verschwindet wieder
hinter dem Rücken.

Aussprache

Isch, isch, isch

Isch, isch, isch!
Ja sam mali misch,
ti si mala tsitsa matsa,
bjəsch u rupu misch.

Übersetzung

Husch, husch, husch

Husch, husch, husch!
Ich bin eine kleine Maus,
du bist eine kleine Miezekatze,
lauf ins Loch, du Maus.

Deutsche Version

Raus, kleine Maus

Raus, raus, raus!
Achtung, kleine Maus,
kommt die Miezekatze,
lauf schnell ins Mäusehaus.

Text: Wolfgang Hering

Un ramillete / Der Blumenstrauß

Un ramillete

Tengo un ramillete de muchos colores.
Lo hice de humildes y muy limpias flores.
Ésta es mercadela y éste es un clavel,
ésta es margarita, nombre de mujer
y ésta una violeta, encanto del vergel.
Panal menadito oloroso a miel.

Text: trad. aus Spanien

Aussprache

Un ramijete

Tengo un ramijete de mutschos kolores.
Lo hiθe de humildes i mui limpias flores.
Esta es mercadella i este es un clavell.
Esta es margarita, nombre de mucher
i esta una violetta, encanto del verchell.
Panal menadito olorosa a mjell.

Übersetzung

Ein Blumenstrauß

Ich habe einen Blumenstrauß mit
vielen Farben.
Ich habe ihn aus bescheidenen
und glänzenden Blumen gemacht.
Das ist eine Ringelblume
und das ist eine Nelke,
das ist eine Margerite,
der Name einer Frau,
und das ist ein Veilchen,
Charme des Gartens.
Der kleine Bienenstock
riecht nach Honig.

Umsetzung

Bei diesem Stück wird die ganze Hand zu
einem Blumenstrauß:

- Zu Beginn die Handfläche einer Hand
  nach oben drehen und alle Finger ebenfalls nach oben strecken,
- Nacheinander mit der anderen Hand
  jeden Finger anfassen: Der Daumen
  ist die Ringelblume („mercadela"), der
  Zeigefinger die Nelke („clavel"), der Mittelfinger die Margerite („margerita") und
  der Ringfinger das Veilchen („violeta").
  Der kleine Finger ist der Bienenstock.
- Am Ende des deutschen Textes die Hand
  gestisch jemandem als Geschenk über-
  reichen.

Deutsche Version

Der Blumenstrauß

Dieser große Blumenstrauß,
der sieht sehr entzückend aus.
Die Blumen habe ich gepflückt,
und damit den Raum geschmückt.
Die Ringelblumen strahlen nett,
die Nelken leuchten violett,
die Margerite, weiß und schön,
das Veilchen ist hübsch anzusehn.
Ihr Nektar wird im Bienenhaus
zu Honig für den Bienenschmaus.
Den Blumenstrauß, den gebe ich
dir als Geschenk, dann freust du dich.

Text: Wolfgang Hering

A caterpillar crawled /
Der Schmetterling

A caterpillar crawled

A caterpillar crawled to the top of a tree.
"I think, I'll take a nap", said he.
So under a leaf he began to creep
to spin a cocoon, then he fell asleep.
All winter long he slept in his bed,
'till spring came along one day and said:
"Wake up, wake up, little sleepyhead,
wake up, it's time to get out of bed!"
So he opened his eyes that sunshiny day,
look, he was a butterfly, and flew away!

Text: trad. aus Großbritannien / USA

Deutsche Version

Der Schmetterling

Die Raupe krabbelt munter hoch
auf einen großen Baum:
„Zum Schlafen lege ich mich hin
und träume einen Traum."
Unter einem großen Blatt,
da macht sie sich ganz klein
und webt sich dort ein warmes Kleid,
in dem schläft sie dann ein.
Den ganzen Winter schlummert sie
in ihrem Raupenhaus.
Der Frühling weckt sie wieder auf,
verschlafen schaut sie raus:
Dann öffnet sie die Augen weit
mit einem Wimpernschlag,
jetzt ist es Zeit um aufzustehn,
es ist ein Sonnentag!
Ein jeder schaut ihr dabei zu,
staunt wahrlich nicht gering:
Sie fliegt davon mit Eleganz
als bunter Schmetterling.

Text: Wolfgang Hering

Umsetzung

 ◗ Erst mit dem Finger einer Hand den anderen
   Arm hinaufkrabbeln,
 ◗ bei „under a leaf" / „unter einem großen Blatt"
   macht die Hand unter der anderen ein Schläfchen,
 ◗ am Ende strecken sich alle Finger und die Hände
   fliegen gemeinsam (mit eingehakten Daumen)
   als Schmetterling davon.

Weitere Bewegungen können ergänzt werden,
z. B. die gefalteten Hände zum Schlafen an das Ohr
legen („fell asleep" / „slept") oder eine Hand zum
Rufen an den Mund halten („wake up").

Hämä-hämähäkki /
Mini minnacık örümcek /
Incy wincy spider /
Eine dünne Spinne ♪ S. 123

Originaltext 🎧 42

Hämä-hämähäkki

Hämä-hämähäkki kiipes langalle.
Tuli sade rankka, hämähäkin vei.
Aurinko armas kuivas satehen,
hämä-hämähäkki kiipes uudelleen.

Text: trad. aus Finnland

Übersetzung

Spi-Spinne

Spi-Spinne kletterte an einem Faden.
Starker Regen fiel und nahm die Spinne mit.
Die liebe Sonne trocknete den Regen,
die Spi-Spinne kletterte erneut.

Originaltext 🎧 43

Mini minnacık örümcek

Mini minnacık örümcek duvara tırmandı.
Yağmur yağdı, örümcek oluğa saklandı.
Sonra güneş çıktı her yeri kuruttu
ve mini minnacık örümcek duvara tırmandı.

Text: trad. aus der Türkei

Aussprache

Mini minnadschək örümdschek

Mini minnadschək örümdschek duvara tirmandə.
Jamur jadə, örümdschek olua saklandə.
Sonra günesch tschəktə her jeri kuruttu
ve mini minnadschək örümdschek duvara tirmandə.

Übersetzung

Die kleine Spinne

Die kleine Spinne kletterte die Wand hoch.
Der Regen kam, die Spinne versteckte sich in der Rille.
Dann kam die Sonne heraus
und die Spinne kletterte wieder die Wand hoch.

Originaltext 44

Incy wincy spider

Incy wincy spider went up the water spout.
Down came the rain and washed the spider out.
Out came the sun and dried up all the rain,
so incy wincy spider went up the spout again.

Text: trad. aus Großbritannien / USA

Umsetzung

Das englische Kinderlied *Incy wincy spider* (auch *Itsy bitsy spider* oder *Eensy weensy spider*) ist sehr bekannt. Die finnische Fassung *Häma-Hämähäkki* und die türkische *Mini minnacık örümcek* sind dieser recht ähnlich. Die Stücke können sowohl gesprochen als auch gesungen werden.

Die folgenden Bewegungen werden zu allen Versionen auf dieselbe Weise ausgeführt:

Deutsche Version

Eine dünne Spinne

Eine dünne Spinne krabbelt
munter Schritt für Schritt.
Kommt ein Regen runter
und nimmt die Spinne mit.
Taucht danach die Sonne auf
und heizt so richtig ein.
Da kann die dünne Spinne
wieder laufen und sich freun.

Text: Wolfgang Hering

- Solange die Spinne klettert: Der Daumen der rechten Hand berührt den Zeigefinger der linken Hand und umgekehrt. Durch eine Drehung der Handgelenke in entgegengesetzte Richtung kreisen die Finger umeinander.

- Den Regen („sade" / „tırmandı" / „rain") durch Abwärtsbewegungen der Arme darstellen, die Sonne („auriko" / „güneş" / „sun") mit einem Kreis der Arme beschreiben.

Il était une fois une fleur / Schmetterling und Blume

Originaltext 🎧 45

Il était une fois une fleur

Il était une fois une fleur.
Elle s'ouvre un peu, beaucoup.
Un papillon arrive, il se pose sur la fleur.
Hum ! que ça sent bon.
Le papillon s'envole et il disparait.
La fleur se referme, se fane et elle disparait.

Text: trad. aus Frankreich

Aussprache

Il eteht ün foa ün flör

Il eteh ün foa ün flör.
El suwre ã pö, boku.
Ã papijoa arif, il sə pos sür la flör.
Ehm ! kə sa sõ bõ.
Le papijoa sãnwol e il disparä.
La flör sã referm, sã fan et el disparä.

Übersetzung

Es war einmal eine Blume

Es war einmal eine Blume.
Sie öffnet sich ein wenig, dann ganz viel.
Ein Schmetterling kommt an, er setzt sich auf die Blume.
Hmm, das riecht gut!
Der Schmetterling fliegt fort und verschwindet.
Die Blume schließt sich wieder, verwelkt und verschwindet.

Deutsche Version

Schmetterling und Blume

Hier steht eine schöne Blume,
die fängt grad zu blühen an.
Sieht ein Schmetterling die Blüte
und fliegt durch die Luft heran,
landet sanft auf Blütenblättern,
wärmt sich dort im Sonnenlicht
und die Blume ist beeindruckt,
häufig sieht sie sowas nicht.
Dieses Tier trinkt ihren Nektar,
doch sie rührt sich nicht vom Fleck,
schließt dann sanft die Blütenblätter
und der Schmetterling fliegt weg.

Text: Wolfgang Hering

Umsetzung

◆ Zunächst die Blume mit der geschlossenen Faust darstellen, die Blütenblätter (Finger) öffnen sich zunächst nur ein wenig („un peu"), dann ganz („beaucoup").

◆ Die andere Hand fliegt als Schmetterling heran, setzt sich auf die Blume, riecht in der französischen Version an ihr („Hum") bzw. trinkt in der deutschen Version ihren Nektar (mit einem Finger die Blume antippen).

◆ Am Schluss schließt sich die Blume wieder und der Schmetterling verschwindet hinter dem Rücken.

Here is the beehive / ♪ S. 123
Las abejas / Das sind die Bienen

Here is the beehive

Here is the beehive. Where are the bees?
Hidden away where nobody sees.
They are coming out now,
they are all alive.
One, two, three, four, five.
Bzzz…

Text: trad. aus Großbritannien / USA

Das sind die Bienen

Das sind die Bienen,
die der Königin dienen
und Geräusche machen,
wenn sie Honig bewachen:
Bsss…
Es darf keine fehlen,
drum will ich sie zählen:
eins, zwei, drei, vier, fünf.
Wir hören sie summen
und niemals verstummen:
Bsss…

Text: Wolfgang Hering

Las abejas

Esta es la colmena
donde las abejas guardan la miel buena.
Volando salen juntitas.
Una, dos, tres, cuatro, cinco,
Bzzz… así van las abejitas.

Text: trad. aus Spanien

Las abechas

Esta es la colmena
donde las abechas guardan la mjell buena.
Volando salen chunditas.
Una, dos, tres, kwatro, θinko,
Bzzz… asi van las abechitas.

Umsetzung

Die spanische und die englische Fassung dieses Fingerspiels sind sehr ähnlich und die deutsche Version greift diese Idee auf:

- Zunächst die geschlossene Faust als „beehive" / „colmena" (Bienenstock) hochhalten,
- dann mit dem Ohr zu „hidden away" / „donde las abejas" / „Geräusche machen" an der Hand lauschen,
- beim Zählen der Bienen die Finger nacheinander ausstrecken,
- zur letzten Zeile „Bzzz…" alle Finger bewegen. Alternativ kann das Kind gekitzelt werden oder die Kinder kitzeln sich gegenseitig.

Das Stück ist durch das langgehaltene Summen auch eine schöne Stimmbildungs- bzw. Atemübung. Es kann außerdem in verschiedene Fassungen – ganz langsam oder ganz schnell – gesprochen oder gesungen werden.

Cinco calabacitas / Fünf Kürbisköpfe

Cinco calabacitas

Cinco calabacitas están
sentadas en un portón.
"Y se hace tarde."
"Hay brujas en el aire."
"Pues no importa."
"Es una noche de espantosa."
"¡Corremos, corremos!"
"Uuu…", hace el viento.
Y se apagan las luces.
Las cinco calabacitas
corren a esconderse.

Text: trad. aus Spanien

Umsetzung

Diese Verse passen besonders gut zu Halloween, die begleitenden Bewegungen sind sehr einfach:

- Während des Sprechens alle Finger nacheinander einzeln aus der Faust ausstrecken. Beim spanischen Originaltext übernimmt jeder Finger eine Textzeile, der Daumen beginnt mit „Y se hace tarde", der Zeigefinger spricht „Hay brujas …" usw.
- Zur Textzeile „Uuu…" die Hand wieder zur Faust ballen und durch die Luft fliegen lassen.
- Während der letzten beiden Zeilen verschwindet die Hand hinter dem Rücken.

Aussprache

θinko kalabasitas

θinko kalabaθitas estan
sentadas en un porton.
"I se aθe tarde."
"Ei bruchas en el aire."
"Pues no importa."
"Es una notsche despantosa."
"Koremos, koremos!"
"Uuu…", aθe el wjento.
I se apagan las luθes.
Las θinko kalabaθitas,
koren a esconderse.

Deutsche Version

Fünf Kürbisköpfe

Fünf Kürbisköpfe <u>auf</u> dem Tor,
der <u>erste</u> streckt sich <u>hoch</u> empor:
„Ach, <u>wie</u> die Zeit so <u>schnell</u> vergeht,
es <u>ist</u> ja nun schon <u>richtig</u> spät."
Der zweite sagt: „Schaut <u>euch</u> nur um,
hier <u>fliegen</u> Hexen <u>nachts</u> herum."
Der <u>dritte</u> meint: „Es <u>ist</u> schon gut,
wir <u>brauchen</u> alle <u>sehr</u> viel Mut."
Dem <u>vierten</u> ist nicht <u>bang</u>, er lacht:
„Ich <u>fürchte</u> mich nicht <u>in</u> der Nacht."
Der <u>fünfte</u> ruft: „Rette <u>sich</u>, wer kann,
seht <u>euch</u> die dunkle <u>Wolke</u> an!"
„<u>Uuu…</u>," heult <u>da</u> der Wind,
die <u>Lichter</u> gehen <u>aus</u> geschwind.
Die <u>Kürbisköpfe</u> <u>sind</u> vor Schreck,
ganz <u>schnell</u> verschwunden <u>im</u> Versteck.

Text: Wolfgang Hering

Übersetzung

Fünf Kürbisköpfe

Fünf Kürbisköpfe sitzen auf einem Tor.
„Es ist spät."
„Es gibt Hexen in der Luft."
„Das macht doch nichts."
„Das ist eine Schreckensnacht."
„Wir rennen, wir rennen!"
„Uuu…," macht der Wind.
Und die Lichter gehen aus.
Die fünf Kürbisköpfe laufen weg,
um sich zu verstecken.

Biedroneczka mała / Der Marienkäfer

Originaltext 49

Biedroneczka mała

Biedroneczka mała
robaczki spotkała.
Z tym się przywitała,
tego pogłaskała,
temu pomachała,
tego zabrać chciała,
tego pożegnała
i do nieba poleciała.

Text: trad. aus Polen

Aussprache

Bjedronetschka maua

Bjedronetschka maua,
robatschki spotkaua.
Stəm sche pschəwitua,
tego poguaskaua,
temu pomachaua,
tego sabratsch schtschaua,
tego podschegnaua
i do njeba poletschaua.

Umsetzung

Bei diesem Fingerspiel wird mit dem kleinen
Finger begonnen:

- Begleitend zu den ersten beiden Textzeilen
  mit den Fingern der einen Hand die Handfläche der anderen streicheln,
- zur dritten Zeile wird der kleine Finger einer
  Hand berührt, zur vierten Zeile der Ringfinger
  usw. bis zum Daumen.
- Mit der letzten Zeile die Hand als Marienkäfer
  nach oben fliegen lassen.

Übersetzung

Ein kleiner Marienkäfer

Ein kleiner Marienkäfer
traf auf Würmer.
Diesen begrüßte er,
diesen streichelte er,
diesem winkte er zu,
diesen wollte er mitnehmen,
von diesem verabschiedete er sich
und flog zum Himmel.

Deutsche Version

Der Marienkäfer

Ein Marienkäfer grüßte brav
fünf kleine Würmer, die er traf.
Den kannte er aus alten Zeiten,
den knuffte er nur in die Seiten,
diesem winkte er kurz zu,
diesen herzte er im Nu.
Und diesen küsste er ganz keck
und flog mit leisem Summen weg:
Ssss…

Text: Wolfgang Hering

Five little kittens / Fünf kleine Katzen

Originaltext 🎧 50

Five little kittens

Five little kittens standing in a row,
they nod their heads to the children so.
They run to the left, they run to the right,
they stand up and stretch in the bright sunlight.
Along comes a dog who's in for some fun.
Meow! See those five kittens run.

Text: trad. aus Großbritannien / USA

Deutsche Version

Fünf kleine Katzen

Fünf kleine Katzen stehen aufgereiht,
sie wackeln mit den Köpfen und hüpfen richtig weit.
Sie laufen einmal rückwärts, sie laufen auch nach vorn.
Sie bleiben schließlich stehen und sind wie eingefrorn.
Ein Hund kommt angelaufen, vorbei der ganze Spaß.
Die Katzen, die verschwinden ganz schnell im hohen Gras.

Text: Wolfgang Hering

Umsetzung

Eine Hand spielt die fünf Katzen, die andere Hand ist der Hund:

- Zunächst die fünf Finger als „kittens" bzw. „Katzen" ausstrecken,
- zur zweiten Zeile mit den Fingerkuppen wackeln und zum deutschen Vers die Hand hüpfen lassen,
- die Hand zur dritten Zeile nach links und rechts (Originaltext) bzw. rückwärts und vorwärts (deutsche Version) bewegen,
- dann die Finger zu „stand up and stretch" bzw. „sind wie eingefrorn" auseinander strecken.
- Am Ende kommt die andere Hand als Hund herbei und die Katzen verschwinden hinter dem Rücken.

Auf dem Bauernhof

Was grunzt denn da?

Am Brunnen

Fünf Vögel machen eine Rast,
an diesem Brunnen sind sie Gast.
Ein Vogel ist ein wenig schlapp,
ein andrer wirft hier Federn ab.
Der wärmt sich im Sonnenschein,
und der nimmt eine Mahlzeit ein.
Leer geht nur der Kleine aus,
drum fliegt er schnell zu sich nach Haus.

Text: Wolfgang Hering

Der Bauernhof ist besonders für Kinder ein faszinierender Ort. Hier treffen sie viele Tiere: Pferde und Kühe gehören ebenso dazu wie Hühner, Schweine und Hunde.

Umsetzung

- Zu den ersten zwei Zeilen mit der linken Hand einen Brunnen darstellen (z. B. hohle Hand mit der Handfläche nach oben),
- anschließend begleitend zu jeder weiteren Zeile einen Finger der rechten Hand strecken, dabei mit dem Daumen beginnen.
- Zur letzten Zeile der deutschen Version kann die Hand hinter dem Rücken verschwinden oder „davonfliegen".

三馬 / Drei Pferde

Originaltext 🎧 51

三馬

三馬吃草三馬吃料

兩人打架

老太太說罷罷罷

小孩兒屋裏嘎拉嘎拉

Text: trad. aus China

Umsetzung

Bei diesem Fingerspiel werden beide Hände einbezogen:

- Zur ersten Zeile des Originaltextes bzw. zu Beginn der deutschen Version mit Daumen, Zeige- und Mittefinger beider Hände die Pferde darstellen (wackeln oder „grasen"), dann eine Hand herunternehmen.
- Die zwei Leute bzw. Männer sind zwei Finger einer Hand (der Daumen verschwindet), die (alte) Frau der Zeigefinger.
- Das kleine Kind ist am Schluss der wackelnde kleine Finger.

Aussprache

San ma

San ma tschü sao san ma tschü lao.
Liang ren da dchia.
Lao taitai shuo ba ba ba.
Tschiao hai ör wu li ga la ga la.

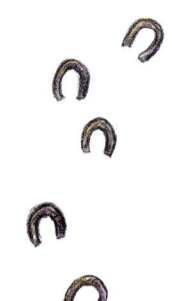

Übersetzung

Drei Pferde

Drei Pferde grasen und drei andere
Pferde fressen Futter.
Zwei Leute prügeln sich.
Die alte Frau sagt: „Stopp! Stopp! Stopp!"
Das kleine Kind weint im Haus.

Deutsche Version

Drei Pferde

Drei Pferde stehn hier auf dem Rasen,
drei andere futtern, sind am grasen.
Zwei Männer sind hier zu erkennen,
die laufen fort und sind am rennen.
Die Frau ruft „Bleibt doch bitte stehen!
Ihr könnt doch so nicht einfach gehen."
Das Kind, das schreit und ärgert sich,
denkt: „Keiner kümmert sich um mich!"

Text: Wolfgang Hering

Five little farmers / Fünf Bauern

Originaltext 🎧 52

Five little farmers

Five little farmers get up early each day.
There's work to be done and no time to play.
The first little farmer goes out to milk the cow.
The second little farmer gets ready to plough.
The third little farmer feeds the hens and chicks.
The fourth little farmer has gates to fix.
The fifth little farmer sells vegetables in town.
Five busy little farmers work until the sun goes down.

Text: trad. aus Großbritannien

Deutsche Version

Fünf Bauern

Fünf Bauern stehen morgens
an jedem Tag früh auf.
Es wartet sehr viel Arbeit,
der Tag nimmt seinen Lauf.
Der erste pflügt den Acker
ganz ohne Rast und Ruh.
Der zweite geht zum Melken,
die Kuh sagt leise: Muh!".
Der dritte füttert Hühner,
die gackern viel herum.
Der vierte flickt die Zäune,
und macht sich dabei krumm.
Der fünfte bringt Gemüse
im Korb zum nächsten Ort.
Am Abend sind sie müde,
dann schlafen sie sofort.

Text: Wolfgang Hering

Umsetzung

Zu beiden Textversionen werden die kleinen „farmers"
bzw. „Bauern" durch Ausstrecken der Fingern dargestellt.
Dabei wird mit dem Daumen oder mit dem kleinen Finger
begonnen. Zusätzlich können noch weitere Bewegungen
ergänzt werden:

- Zu Beginn wie nach dem Aufstehen die Arme strecken,
- zum Melken („milk the cow") beide Fäuste aneinandergehalten und entsprechende Bewegungen ausführen,
- mit ausholenden Handbewegungen den Hühnern
  Futter geben („feeds the hens"),
- mit einem imaginärer Hammer die Zäune reparieren
  („gates to fix"),
- mit zwei Händen das Tragen eines Korbs andeuten.
- Am Ende laut gähnen.

Five little puppies / Fünf kleine Hunde

Originaltext 53

Five little puppies

Five little puppies were playing in the sun.
This one saw a rabbit, and he began to run.
This one saw a butterfly, and he began to race.
This one saw a cat, and he began to chase.
This one tried to catch his tail,
and he went round and round.
This one was so quiet, he never made a sound.

Text: trad. aus Großbritannien / USA

Deutsche Version

Umsetzung

Zum gesprochenen Text wird zunächst mit allen fünf Fingern gewackelt. Dann wird die Hand zur Faust geschlossen und mit dem Daumen begonnen. Die anderen Finger werden nacheinander gestreckt. Für die einzelnen Spielaktionen können sich die Kinder eigene Aktionen ausdenken, z. B. das Wackeln mit dem Hintern zu „to catch his tail" bzw. „jagt sein Schwänzchen".

Fünf kleine Hunde

Fünf kleine Hunde,
die spielen gern Versteck.
Trifft einer einen Hasen
und läuft vor Angst gleich weg.
Sieht dieser eine Wespe
und fürchtet sich gleich sehr.
Ein andrer sieht ne Katze
und jagt ihr hinterher.
Ein vierter fängt sein Schwänzchen,
fällt dabei in den Dreck.
Der Kleinste traut sich gar nichts,
sitzt hinten im Versteck.

Text: Wolfgang Hering

حوضک / **Der kleine Teich**

Umsetzung

Für die Bewegungen zu diesem Vers werden beide Hände benötigt:

- Am Anfang mit der linken Hand einen Teich darstellen (z. B. mit der hohlen Hand), dann den kleinen Finger der anderen Hand als Küken „hineinfallen" lassen,
- zu den folgenden Textzeilen (zum Originaltext immer mit dem Wort „jeki") nacheinander an der rechten Hand den Ringfinger (rettet es), den Mittelfinger (deckt es zu / bringt es nach Hause) und den Zeigefinger (gibt ihm Nahrung / Tee) strecken und bewegen; der Daumen fragt schließlich nach der Ursache des Unglücks.
- Schließlich antwortet in der letzten Verszeile der Daumen der linken Hand.

Originaltext 🎧 54

حوضک

لی لی لی لی حوضک

جوجو اومد آب بخوره

افتاد تو حوضک

یکی گرفتش

یکی پوشوندش

یکی نونش داد

همون آبش داد

یکی گفت

کی جوجو رو انداخت تو حوضک

این یکی گفت

منه منه کله گنده

Text: trad. aus dem Iran

Übersetzung

Der Teich

Hüpfen, hüpfen am Teich.
Ein Küken wollte Wasser trinken,
es ist aber ins Wasser gefallen.
Eins hat es rausgezogen,
eins hat es zugedeckt.
Eins hat ihm Brot gegeben,
derselbe hat ihm auch Wasser gegeben.
Eins hat gefragt: „Wer hat es ins Wasser geschubst?"
Dieses sagte: „Ich war's, das Dickerle."

Deutsche Version

Der kleine Teich

Fünf Hühnchen, die wollen am Teich etwas trinken,
da fällt eines rein und wird bald versinken.
Doch dieses zieht's raus, langsam Stück für Stück,
das dritte, das bringt es nach Hause, zum Glück!
Das vierte, das macht ihm schnell einen Tee
und fragt: „Warum fällst du denn dort in den See?"
Das erste, es ruft: „Ich wurde gestoßen!"
„Ich war's", sagt das kurze,
„hab gern Spaß mit den Großen!"

Text: Wolfgang Hering

Aussprache

Hohsak

Li li li li hohsak.
Dschudschu umad ab bechoreh,
oftad tuuh hosak.
Jeki gereftesch,
jeki puschundesch,
jeki nunesch dad,
hamun abesch dad.
Jeki gof ki dschuschu
ro endach tuuh hohsak?
Un jeki goft
manne manne kaleh gondeh.

Ujsa, gujsa / Grunz, grunz, grunz

Originaltext 🎧 55

Ujsa, gujsa

Ujsa, gujsa,
dva debela pujsa,
en'ga pa zaklali,
en'ga pa še 'mamo,
tega pa ne damo.
Ujsa, gujsa,
dva debela pujsa.

Text: trad. aus Slowenien

Aussprache

Uißa, guißa

Uißa, guißa,
dwa debela puißa,
enga smo prodali,
enga pa saklali,
enga pa sche mamo,
tega pa ne damo.
Uißa, guißa,
dwa debela puißa.

Übersetzung

Grunz

Grunz, grunz,
zwei dicke Ferkel.
Eins haben wir verkauft,
eins haben wir geschlachtet,
eins haben wir noch,
aber das geben wir nicht her.
Grunz, grunz,
zwei dicke Ferkel.

Umsetzung

Zu beiden Textversionen können kleine Kinder auf dem Schoß hin- und hergewiegt werden. Zwei kleine Ferkel werden im Vers weggeben, das dritte wird behalten – damit ist scherzhaft das Kind gemeint. Dieses kann zur Zeile „tega pa ne damo" bzw. „das geben wir nun nie mehr her" in den Arm genommen werden.

Mit älteren Kindern kann auch ein Fingerspiel ausgeführt werden: Die Schweinchen werden mit Daumen, Zeige- und Mittelfinger dargestellt, die zu Beginn aus der Faust gestreckt werden. Dann wird der Mittelfinger berührt und in die Faust geschlossen, dann der Zeigefinger, bis nur noch der Daumen übrig ist.

Deutsche Version

Grunz, grunz, grunz

„Grunz, grunz, grunz",
so reden die drei Schweinchen
mit ihren kurzen Beinchen.
Zum Metzger muss das eine,
uns bleiben noch zwei Schweine.
Das zweite von den Schweinchen
bringt beim Verkauf ein Scheinchen.
Das dritte lieben wir so sehr,
das geben wir nun nie mehr her.

Text: Wolfgang Hering

Hierdie klein varkie / Die Schweinchen

Originaltext 🎧 56

Hierdie klein varkie

Hierdie klein varkie gaan na die mark.
Hierdie klein varkie bly tuis.
Hierdie een het heerlik gesmul.
Hierdie een is vreeslik gekul.
En hierdie klein varkie huil:
"Whie, whie, whie!",
al die pad na sy huis.

Text: trad. aus Südafrika

Aussprache

Hirdi klein farki

Hirdi klein farki chan na di mark.
Hirdi klein farki pläi tois.
Hirdi en het hirlik chesmoul.
Hirdi en is frislik chekoul.
En hirdi klein farki hoil:
"Whii, whii, whii!",
äl di pad na sei hois.

Übersetzung

Dieses kleine Ferkel

Dieses kleine Ferkel kam auf den Markt.
Dieses kleine Ferkel blieb zu Hause.
Dieses kleine Ferkel bekam leckeres Essen.
Dieses kleine Ferkel bekam nichts.
Und dieses kleine Ferkel schrie:
„Wiih, wiih, wiih",
den ganzen Heimweg.

Umsetzung

Bei diesem Fingerspiel wird mit dem
Daumen begonnen, nach und nach
werden alle Finger gezeigt.

Deutsche Version

Die Schweinchen

Ein Schweinchen geht heut zum Wochenmarkt raus.
Seht dieses, das bleibt am liebsten zu Haus.
Dieses Tier frisst lieber den ganzen Tag.
Dieses sagt, dass es heut gar nichts mehr mag.
Dieses brüllt andauernd: „Wiih, wiih, wiih, wiih!"
Es ist ganz klar hier das lauteste Vieh.

Text: Wolfgang Hering

Los pollitos / Fünf Küken

Originaltext 57

Los pollitos

Cinco pollitos
tiene mi tía.
Uno le salta,
otro le pía
y otro le canta
la sinfonía.

Text: trad. aus Spanien

Aussprache

Los pollitos

θinco pollitos
tiäne mi tia.
Uno le salta,
otro le pia
i otro le canta
la sinfonia.

Übersetzung

Die Küken

Fünf Küken
hat meine Tante.
Eins springt hoch,
ein anderes piepst
und das andere
singt eine Sinfonie.

Umsetzung

Bei *Los pollitos* wird zunächst eine Hand mit gestreckten Fingern gezeigt, dann werden die folgenden Bewegungen ausgeführt:

- Eine Faust machen und den ersten Finger (Daumen oder kleiner Finger) durch die Luft „springen" lassen,
- den zweiten Finger hin und her schwingen (zur deutschen Version) oder mit dem Finger wackeln (zu „otro le pía").
- Schließlich zeigen sich die restlichen Finger als kleiner Chor nebeneinander aufgereiht.

Deutsche Version

Fünf Küken

Fünf Küken hat meine Tante:
Eins kann durch die Lüfte springen,
eins den Baum zum Wackeln bringen,
und die anderen können wunderbar
ein Lied zusammen singen.

Text: Wolfgang Hering

A galinha do vizinho /
Unser Nachbar hat ein Huhn

A galinha do vizinho

A galinha do vizinho
bota ovo amarelinho,
bota um, bota dois,
bota três, bota quatro,
bota cinco, bota seis,
bota sete, bota oito,
bota nove, bota dez!

Text: trad. aus Brasilien

Umsetzung

Zu diesem Stück werden nacheinander alle zehn Finger gezeigt, dazu kann der Text rhythmisch zu einem Grundschlag aufgesagt werden.

Alternativ kann auch die Anzahl der Eier durch entsprechende Klopf-geräusche (z. B. mit Klanghölzern) verdeutlicht werden. Diese werden dann nach der jeweiligen Textzeile beginnend mit einem Schlag bis zu zehn Schlägen gespielt.

Aussprache

A galinja do visinjo

A galinja do visinjo
bota ovo amarelinjo,
bota um, bota dois,
bota tres, bota quatro,
bota sinko, bota säis,
bota setschi, bota oito,
nota nowi, bota däis!

Deutsche Version

Unser Nachbar hat ein Huhn

Unser Nachbar hat ein Huhn,
das ist fleißig, kann nicht ruhn,
ist ganz eifrig, legt ein Ei,
dann sind es auch gleich schon zwei.
Noch ein Ei, dann sind es drei
auch ein viertes liegt dabei.
Und schon wieder wächst die Zahl,
fünf sind es mit einem Mal!
Schau, es ist grad wie verhext,
denn es werden auch noch sechs.
Dabei ist es nicht geblieben,
flugs sind es sogar schon sieben.
Alle andren aufgewacht,
welch ein Wunder, es sind acht!
Ihr könnt euch nun alle freun,
hier und heute sind es neun.
Schließlich ist es abzusehn,
ja, am Ende sind es zehn.

Text: Wolfgang Hering

Übersetzung

Das Huhn des Nachbarn

Das Huhn des Nachbarn
legt ein gelbes Ei,
legt eins, legt zwei,
legt drei, legt vier,
legt fünf, legt sechs,
legt sieben, legt acht,
legt neun, legt zehn!

Sadax L'o ah oo cayilan / Drei dicke Kühe

Originaltext 59

Sadax L'o ah oo cayilan

Sadax L'o ah oo cayilan.
Hal anagaa qalanay.
Hal anagaa gadaney.
Hal waan haysanaa
mana dhiibeyno xataa.

Text: trad. aus Somalia

Umsetzung

Dieses Fingerspiel benötigt nur drei Finger (am besten Daumen, Zeige- und Mittelfinger). Erst stellen alle drei Finger gemeinsam die dicken Kühe dar, dann werden sie nacheinander in die Faust gesteckt oder berührt.

Aussprache

Säda L'o ah o ailen

Säda L'o ah o ailen.
Hal anaga chalanai.
Hal anaga gadanai.
Hal wan häisana
mäna diebeno hata.

Übersetzung

Drei dicke Kühe

Drei dicke Kühe,
eine haben wir geschlachtet,
eine haben wir verkauft.
Eine haben wir behalten
und die geben wir nicht mehr her.

Deutsche Version

Drei dicke Kühe

Wir hatten mal drei dicke Kühe
und mit ihnen sehr viel Mühe.
Eine ist uns bald entlaufen,
eine mussten wir verkaufen.
Die letzte lieben wir so sehr,
die geben wir bestimmt nicht her.

Text: Wolfgang Hering

In Wald und Feld

Entdeckungen in der Natur

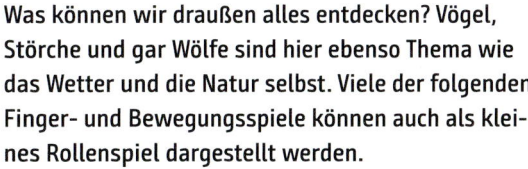

Was können wir draußen alles entdecken? Vögel, Störche und gar Wölfe sind hier ebenso Thema wie das Wetter und die Natur selbst. Viele der folgenden Finger- und Bewegungsspiele können auch als kleines Rollenspiel dargestellt werden.

Wenns rägnet, wird me nass 🎧 60

Dä seit: „Wenn's rägnet, wird me nass."
Dä seit: „Wenn's rägnet, dass isch kei Gspass."
Dä seit: „Wenn's rägnet, dass isch e Gruus."
Dä seit: „Wenn's rägnet, blib ich im Huus."
Und der Chlii seit: „Wenn's rägnet kann ich nit uff d Sunne warte,
denn gang ich mit em Rägeschutz in Chindergarte."

Text: trad. aus der Schweiz

Umsetzung

Das Fingerspiel *Wenns rägnet, wird me nass* kommt mit den Fingern einer Hand aus, die nacheinander gestreckt oder berührt werden.

Peep, peep / Piep, piep

Originaltext 🎧 61

Peep, peep

Five little birds in a nest in a tree
are just as hungry as can be.
"Peep," said baby bird number one,
"Mother bird promised she would come."
"Peep, peep," said baby bird number two,
"If she doesn't come what will we do?"
"Peep, peep, peep," said baby bird number three,
"I hope she can find this tree."
"Peep, peep, peep, peep,"
said baby bird number four,
"She never was so late before."
"Peep, peep, peep, peep, peep,"
said baby bird number five,
"When will our mother bird arrive?"
Well, here she comes to feed her family.
They're all as happy as can be.

Text: trad. aus Großbritannien/USA

Deutsche Version

Piep, piep

Fünf Vögel leben in einem Nest.
Sie haben Hunger dort im Geäst.
„Piep", ruft der erste laut in den Wald,
„die Mama bringt sicher Futter bald."
„Piep, piep", meldet sich da Nummer zwei,
„was machen wir, kommt sie nicht herbei?"
„Piep, piep, piep", man hört den dritten kaum,
„hoffentlich findet sie unseren Baum."
„Piep, piep, piep, piep", der vierte fleht,
„die Mama war noch nie so spät."
„Piep, piep, piep, piep, piep, ich warte auch!",
dem fünften Vogel knurrt der Bauch.
Da fliegt ins Nest die Vogelmutter,
und alle fünf bekommen Futter.

Text: Wolfgang Hering

Umsetzung

Der Witz dieses englischen Originalstücks
besteht darin, dass jedes kleine Vogel-
kind, sobald es zu Wort kommt, immer ein
„peep"/„piep" hinzufügt. Die folgenden Bewegungen können sowohl zum englischen als
auch zum deutschen Vers ausgeführt werden:

- Eine Hand hochgehalten, jedes der Finger
  stellt eines der fünf Vogelkinder dar,
- dann mit den Fingern nacheinander wackeln, sobald die jeweiligen Vogelkinder
  sprechen.
- Am Ende erscheint die andere Hand als
  Vogelmama, die ihre Kinder füttert.

J'attrape un papillon /
Der gefangene Schmetterling

J'attrape un papillon

Hop, hop, j'attrape un papillon.
J'ouvre une petite porte,
une autre petite porte,
encore une porte,
une toute petite porte.
Oh, oh, le papillon s'est envolé.

Text: trad. aus Frankreich

Aussprache

Jattrap ã papijõ

Op, op, jattrap ã papijõ.
Dschuwre ün pətit port,
ün otre pətit port,
ãnkor ün port,
ün tuht pətit port.
Oh, oh, le papijõ set ãnwoleh.

Übersetzung

Ich fange einen Schmetterling

Hop, hop, ich fange einen
Schmetterling.
Ich öffne eine kleine Tür,
eine andere kleine Tür,
und noch eine Tür,
eine ganz kleine Tür.
Oh, oh, der Schmetterling ist
weggeflogen.

Deutsche Version

Der gefangene Schmetterling

Du bist mein kleiner Schmetterling,
ich bau für dich ein Haus.
Ich öffne eine erste Tür,
du kannst noch nicht hinaus.
Ich streng mich an und helfe dir
und öffne eine zweite Tür.
Du schaust zum Licht hinauf,
die dritte Tür geht auf.
Der Schmetterling, der drängt sich vor,
da öffnet sich ein kleines Tor.
Das schöne Tier fliegt fort
an einen andren Ort.

Text: Wolfgang Hering

Umsetzung

Die Hände werden flach mit den Handrücken zum Körper aneinandergehalten. Die Daumen werden vor den Handflächen verschränkt, sodass alle acht langen Finger nebeneinander stehen wie eine Wand. Dann klappen immer zum gesprochenen Wort „porte" bzw. „Tür" nacheinander die Zeigefinger (1. Tür), Mittel- (2. Tür usw.), Ring- und kleine Finger nach vorne. Dadurch entsteht in der Wand eine immer größere Lücke (das „Tor"). Am Ende werden beide Hände zum Schmetterling in dem sich die Daumen umschlingen und die übrigen Finger die Flügel bilden.

Este fue leña / Im Wald

Este fue leña

Este fue leña.
Este la cortó.
Este encontró un huevo.
Este lo frió
y este pequeñito se lo comió.

Text: trad. aus Spanien

Umsetzung

Bei diesem Fingerspiel wird beim Daumen begonnen. Mit jeder Zeile wird ein weiterer Finger gestreckt oder berührt.

Aussprache

Este fue lenja

Este fue lenja.
Este la kortoh.
Este enkontroh un uevo.
Este lo frioh
i este pekenjito se lo comioh.

Übersetzung

Dies ist Brennholz

Dies ist Brennholz.
Dieser hat es geschnitten.
Dieser hat ein Ei gefunden.
Dieser hat es gebraten
und dieser Kleine hat es gegessen.

Deutsche Version

Im Wald

Dieser ging in den Wald ganz stolz.
Dieser schnitt voller Mühe das Holz.
Dieser fand ein Ei dabei
und dieser machte Spiegelei.
Der Kleine war besonders gut drauf
und aß das Ei alleine auf.

Text: Wolfgang Hering

Ben bir ağacım / Ich bin ein Baum

Originaltext 🎧 64

Ben bir ağacım

Ben bir ağacım.
Dallarım var benim.
Dallarım bir çiçek açtı.
Dallarım iki çiçek açtı.
Dallarım üç çiçek açtı.
Dallarım dört çiçek açtı.
Dallarım beş çiçek açtı.
Bir rüzgar çıktı.
Yağmur yağdı, şıp, şıp.
Tüm çiçekler döküldü.

Text: trad. aus der Türkei

Aussprache

Ben bir adschim

Ben bir adschim.
Dallarəm war benim.
Dallarəm bir tschitschek atschtə.
Dallarəm iki tschitschek atschtə.
Dallarəm ütsch tschitschek atschtə.
Dallarəm dört tschitschek atschtə.
Dallarəm besch tschitschek atschtə.
Bir rüsgar tschəktə.
Jamur jadə, schip, schip.
Tüm tschitschkler döküldü.

Übersetzung

Ich bin ein Baum

Ich bin ein Baum,
Ich habe Zweige.
Meine Äste haben eine Blüte.
Meine Äste haben zwei Blüten.
Meine Äste haben drei Blüten.
Meine Äste haben vier Blüten.
Meine Äste haben fünf Blüten.
Ein Wind weht.
Es regnet dipp, dipp.
Alle Blüten sind abgefallen.

Deutsche Version

Ich bin ein Baum

Ich bin ein großer Baumstamm
mit vielen Ästen dran.
Der Wind bläst durch die Zweige,
auch stürmisch dann und wann.
Es wächst erst eine Blüte
im Frühling ganz allein,
dann können zwei als Nachbarn
ganz nah zusammen sein.
Es mehren sich die Triebe,
nun stehn sie schon zu dritt
und eine vierte Blüte
macht gleich beim Wachsen mit.
Jetzt seht ihr eine Handvoll,
sie werden sanft bewegt.
Es regnet, Blüten fallen
zu Boden unentwegt.
Bald sieht man nur noch Blätter
und keine Blüten mehr,
doch schon im nächsten Frühling
erstrahlt ein Blütenmeer.

Text: Wolfgang Hering

Umsetzung

Dieser Text kann bildlich dargestellt werden: Die
Kinder stellen sich aufrecht hin wie ein Baum und
strecken zur zweiten Textzeile die Arme als Zweige
(„dallarım") aus. Nach und nach öffnen sich die Finger
einer Hand und stellen damit eine Blüte („çiçek") nach
der anderen dar. Wenn der Wind weht, biegen sich die
Kinder von links nach rechts, der fallende Regen kann
mit den Fingern beider Händen imitiert werden.

In cima alla montagna / Da oben auf dem Berge

Originaltext 🎧 65

In cima alla montagna

Là sulla montagna, bum, bum, bum,
battono gli gnomi, bum bum bum.
Là sulla montagna, zz, zz, zz,
segano gli gnomi, zz, zz, zz.
Là sulla montagna, gnam, gnam, gnam,
mangiano gli gnomi, gnam, gnam, gnam.
Là sulla montagna, tra la la,
cantano gli gnomi, tra la la.
In cima alla montagna, sch, sch, sch
dormono gli gnomi, sch, sch, sch.

Text: trad. aus Italien

Umsetzung

Zu diesem Vers zeigen die Kinder zur Zeile „là sulla montagna" bzw. zu „dort oben auf dem Berge" immer wieder einen Berggipfel mit beiden Händen. Dazwischen werden die beschriebenen Tätigkeiten gestisch dargestellt, z.B. „klopfen" („battono"), „essen" („mangiano") usw. Die Zahl sieben in der deutschen Version kann alternativ auch mit den Fingern gezeigt werden.

Aussprache

In tschima la montanja

La sulla montanja, bum, bum, bum,
battono lji njomi, bum, bum, bum.
La sulla montanja, zz, zz, zz,
segano lji njomi, zz, zz, zz.
La sulla montanja, mjam, mjam, mjam,
mandschano lji njomi, mjam, mjam, mjam.
La sulla montanja, tra la la,
cantano lji njomi, tra la la.
In tschima la montanja, sch, sch, sch,
dormono lji njomi, sch, sch, sch.

Übersetzung

Die Zwerge des Berges

Dort auf dem Berg, bumm, bumm, bumm,
schlagen die Zwerge, bumm, bumm, bumm.
Dort auf dem Berg, zz, zz, zz,
sägen die Zwerge, zz, zz, zz.
Dort auf dem Berg, mjam, mjam, mjam,
essen die Zwerge, mjam, mjam, mjam.
Dort auf dem Berg, tra la la,
singen die Zwerge, tra la la.
Oben auf dem Berg, sch, sch, sch,
schlafen die Zwerge, sch, sch, sch.

Deutsche Version

Da oben auf dem Berge

Da oben auf dem Berge, den Rücken krumm,
da klopfen sieben Zwerge, bum, bum, bum.
Da oben auf dem Berge, mit tiefem Schluck,
da trinken sieben Zwerge, gluck, gluck, gluck.
Da oben auf dem Berge, auf einem schönen Platz,
da essen sieben Zwerge, schmatz, schmatz, schmatz.
Da oben auf dem Berge, es klingt ganz wunderbar,
da singen sieben Zwerge: „Tra, la, la."
Da oben auf dem Berge im Mondenschein,
da schlafen sieben Zwerge ganz friedlich ein.

Text: Wolfgang Hering

Quando piove lento / Der Regen

Originaltext 66

Quando piove lento

Quando piove lento lento
e fa freddo e tira il vento,
nella casa sta il bambino,
nel suo nido l'uccellino,
nella cuccia il cagnolino
e il ranocchio senza ombrello
sotto un fungo sta bello, bello.

Text: trad. aus Italien

Aussprache

Quando piowe lento

Quando piowe lento lento
e fa freddo e tira il wento,
nella kasa sta il bambino,
nel suo nido lutschellino,
nella kutscha il kanjolino
e il ranockio sentsa ombrello
sotto un fungo sta bello, bello.

Übersetzung

Wenn es langsam regnet

Wenn es langsam, langsam regnet
und kalt ist und der Wind bläst,
bleibt das Kind im Haus,
der Vogel in seinem Nest,
der Hund in der Hütte
und das Fröschlein ohne Schirm
hat es unter dem Pilz schön, schön.

Deutsche Version

Der Regen

Draußen prasselt der Regen schwer,
es ist kalt und der Wind bläst sehr.
Die Kinder bleiben heut im Haus.
kein Vogel fliegt in die Welt hinaus.
Der Hund hat heute keinen Spaß
und auch der Frosch hüpft nicht durchs Gras.
Jeder bleibt am trocknen Ort
und macht es sich gemütlich dort.

Text: Wolfgang Hering

Umsetzung

Die einzelnen Geschehnisse im italienischen Text können mit den Händen dargestellt werden, z. B.

- Regen: Finger von oben nach unten zappeln lassen
- Haus: mit zwei flachen Händen ein Dach darstellen
- Hund: Daumen und kleine Finger bilden eine Schnauze, Zeige- und Mittelfinger sind die Ohren.
- Pilz: Eine flache Hand ist der Pilzkopf, die Faust der anderen Hand der Stamm.

Zur deutschen Fassung kann zum Begriff „trocknen Ort" außerdem die Hand über den Kopf gehalten werden.

Los lobitos / Fünf kleine Wölfe

Los lobitos

Cinco lobitos
tuvo la loba,
blancos y negros
detrás de la escoba.
Cinco crió,
cinco cuidó
y a todos ellos
solita enseñó.

Text: trad. aus Spanien

Aussprache

Los lobitos

θinco lobitos,
tuvo la loba,
blankos i negros
detras de la eskoba.
θinco krioh,
θinco kuidoh
i a todos ejos
solita ensenjoh.

Übersetzung

Fünf kleine Wölfe

Fünf kleine Wölfe
hatte die Wölfin,
weiße und schwarze
hinter dem Ginster.
Fünf hat sie aufgezogen,
auf fünf hat sie aufgepasst
und alle von ihnen
hat sie alleine versorgt.

Umsetzung

Beide Textversionen können sehr rhythmisch gesprochen werden, dabei klatschen die Kinder in die Hände oder bewegen sie im Sprachrhythmus auf und ab.
Zur deutschen Version kann auch ein Bewegungsspiel ausgeführt werden:
Der Daumen einer Hand ist die Mutter, die Finger der anderen Hand stellen die kleinen Wölfe dar (z. B. durch Wackeln aller Finger). Zusätzlich können weitere Bewegungen ergänzt werden, z. B. Schwimmbewegungen.

Deutsche Version

Fünf kleine Wölfe

Mama Wolf, die hat fünf Junge,
über die sie sich sehr freut.
Schwarz und weiß sind ihre Farben,
sind zu jedem Spaß bereit.
Oft gehn sie zu sechst spazieren,
schwimmen gleich im Wasser los,
lernen alles von der Mama,
schnell sind kleine Wölfe groß!

Text: Wolfgang Hering

Lepur / Lieber Hase

Lepur

Lepur, lepur, çka t'kam thënë
Mos me hy më në tërshënë,
se e kam një qen të keq-e,
e ti shkul ato musteqe,
se e kam një qen të keq-e,
e ti shkul ato musteqe,
Ham, ham, ham-ham-ham.

Text: trad. aus Albanien

Umsetzung

Zwei Finger imitieren einen Hasen mit wackelnden Ohren (Zeige- und Mittelfinger). Die andere Hand stellt als Faust den Hund dar. Am Ende werden mit dieser Hand Kaubewegungen ausgeführt und eventuell Schmatzgeräusche ergänzt.

Aussprache

Lepur

Lepur, lepur, tschka kam θən.
Mos me chü mə nə tərschən,
se e kam njə tschen tə ketsch,
e ti schkul ato mustetsch,
se e kam njə tschen tə ketsch,
e ti schkul ato mustetsch,
Ham, ham, ham-ham-ham.

Übersetzung

Hase

Hase, Hase, was habe ich dir gesagt?
Geh nicht mehr zum Hafer,
denn ich habe einen bösen Hund,
der zupft dich an der Schnauze,
denn ich habe einen bösen Hund.
der zupft dich an der Schnauze.
Ham ham, ham-ham-ham.

Deutsche Version

Lieber Hase

Lieber Hase, sei nicht dumm,
friss nicht an dem Salat herum.
Es kommt mein Hund gleich angezischt,
und hat dich dabei schnell erwischt.
Es geht ganz fix, du glaubst es nicht,
und du bist dann sein Leibgericht.

Text: Wolfgang Hering

Evo nam roda doleće / Der Storch

Evo nam roda doleće

Evo nam roda doleće,
nosi nam slavno proleće,
proleće, dete maleno,
deli nam cveće šareno!
Vesele ptice blaguju,
svi se na svetu raduju.
Blagujte, ptice, blagujte!
Radujte s', deco, radujte!

Text: trad. aus Serbien

Aussprache

Ewo nam roda doletsche

Ewo nam roda doletsche,
nossi nam slawno proletsche.
proletsche, dete maleno,
deli nam tswetsche schareno!
Wesele ptitse blaguju.
swi se na swetu raduju.
Blagujte, ptitse, blagujte!
Radujte se, detso, radujte!

Umsetzung

Daumen und Zeigefinger einer Hand bilden zum Wort „roda" bzw. „Storch" einen Schnabel, der Arm bewegt sich durch die Luft. Auch die weiteren Inhalte des Verses können gestisch dargestellt werden: Vögel („ptice") durch „Flattern" mit den Armen, die Sonne bzw. die Welt („svet") durch das Zeigen eines Kreises usw. Am Ende werden die Hände gerieben.

Übersetzung

Kommt ein Storch geflogen

Da kommt ein Storch geflogen
er bringt uns den schönen Frühling,
den Frühling und ein kleines Kind,
teilt bunte Blumen aus!
Die fröhlichen Vögel schmausen,
alle auf der Welt freuen sich.
Schmauset, ihr Vögel, schmauset!
Freut euch, Kinder, freut euch!

Deutsche Version

Der Storch

Seht, ein Storch, der fliegt vorbei,
bringt den Frühling, eins, zwei, drei.
Kinder, kommt jetzt aus dem Haus,
denn die Blumen kommen raus.
Alle Tiere groß und klein
tanzen durch den Sonnenschein.
Klar, dass das die Kinder freut,
jetzt beginnt die warme Zeit!

Text: Wolfgang Hering

Tiere aus aller Welt

Kleine Moskitos und große Elefanten

Mit diesen Versen aus aller Welt können die Kinder auf einfache Art und Weise auf eine Reise gehen. Unterwegs treffen sie allerlei kleine und große Tiere.

Umsetzung

Zu diesem Fingerspiel zeigen die Kinder zunächst alle fünf Finger, anschließend werden die Finger nacheinander – beginnend mit dem Daumen – mit der anderen Hand berührt. Die im Text genannten Bewegungen der Tiere können zusätzlich gestisch dargestellt werden. Am Ende summen alle wie ein Moskito.

Fünf Tiere aus Afrika

Fünf Tiere seht ihr hier ganz nah,
und alle sind aus Afrika.
Der Dicke ist ein Elefant,
hebt einen Baumstamm aus dem Stand.
Der Affe kratzt sich gern am Bein
und liebt Bananen ungemein.
Das Nilpferd ist heut nicht gut drauf,
sein offnes Maul sagt: „Pass gut auf!"
Das Dromedar mit großem Schritt,
trägt immer seinen Höcker mit.
Und der Moskito summt ganz laut.
Gib Acht, er sticht gern in die Haut!

Text: Wolfgang Hering

Five little monkeys /
Fünf kleine Äffchen

Originaltext 70

Five little monkeys

Five little monkeys
swinging in a tree
teasing Mr. Crocodile:
"You can't catch me!
You can't catch me!"
Along came the crocodile
quiet as can be
and snap!

Four little monkeys swinging in the tree …
Three little monkeys …
Two little monkeys …
One little monkey …

No more monkeys swinging in the tree!

Text: trad. aus den USA

Deutsche Version

Fünf kleine Äffchen

Fünf kleine Äffchen,
du glaubst es kaum,
ärgern ein Krokodil
von einem Baum:
„Du großes Maul,
du bist so faul!"
Das Krokodil schleicht an,
schnappt zu, so schnell es kann!

Vier kleine Äffchen …
Drei kleine Äffchen …
Zwei kleine Äffchen …
Ein kleines Äffchen … ärgert …

Kein kleines Äffchen,
du glaubst es kaum,
ärgert ein Krokodil
von einem Baum.

Da gähnt das Krokodil:
„Uaaah!"
Fünf kleine Äffchen,
die sind wieder da.

Text: trad., Bearbeitung: Wolfgang Hering

Umsetzung

Die fünf Äffchen sind die fünf Finger, mit denen zu Beginn gewackelt wird und die dann nach und nach in der Faust verschwinden. Die andere Hand stellt das Krokodil dar, das die Äffchen vom Baum schnappt. Zusätzlich kann der Text mit Gesten unterstützt werden, z.B. zur Zeile „You can't catch me!" bzw. „Du großes Maul!" auf das Krokodil zeigen und mit dem Kopf schütteln oder ein großes Maul mit den Armen andeuten. Beim Zuschnappen klatschen die Hände laut zusammen. Am Ende der deutschen Version tauchen die Äffchen alle wieder auf, zum englischen Original bleibt die Faust am Ende geschlossen.

Elephants at work and play / Fünf Elefanten

Originaltext 71

Elephants at work and play

As five little elephants marched through the grass,
they decided to stop and have a music class.
The first blew his trumpet and announced he'd be teacher.
The next gave a call of the wild jungle animal.
The third and fourth elephants trumpeted a song,
but the last little elephant just followed along.
Then he left the others as he didn't care to play,
and he carried tree logs the rest of the day.

Text: trad. aus Großbritannien / USA

Umsetzung

Der Originaltext und die deutsche Version können als Fingerspiel mit den fünf Fingern einer Hand ausgeführt werden (nacheinander ausstrecken).

Alternativ ist eine Darstellung der im Text beschriebenen Aktionen möglich: Die Finger der rechten Hand marschieren den Arm entlang, dann halten sie an. Mit einer Faust und einer geöffneten Hand wird die Trompete („trumpet") dargestellt usw.

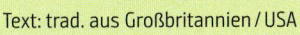
Deutsche Version

Fünf Elefanten

Fünf Elefanten marschieren durch das Gras
und denken: „Musikmachen, das macht Spaß!"
Der erste spielt Trompete, das macht er richtig gern.
Der nächste schlägt die Trommel und freut sich an dem Lärm.
Zwei weitere, die tröten geräuschvoll im Duett.
Der kleinste sagt: „Ich geh, weil ich den Krach nicht mag,
trag weiter meine Bäume den lieben, langen Tag."

Text: Wolfgang Hering

Con công nó múa / Der Pfau

Originaltext 🎧 72

Con công nó múa

Con công nó múa.
Nó múa làm sao?
Nó rụt cổ vào,
Nó xòe cánh ra.

Text: trad. aus Vietnam

Umsetzung

Die gespreizten Finger beider Hände (Daumen einhaken)
sind der Pfau, diese bewegen sich zum gesprochenen
Vers. Die Finger können entsprechend farbig angemalt
oder die Hand mit einem Tuch verkleidet werden.

Aussprache

Kon kong na mur

Kon kong na mur.
Nor mur lam sau?
No sut go wau.
No swä kan ra.

Übersetzung

Der Pfau tanzt

Der Pfau tanzt.
Wie tanzt er?
Er beugt seinen Hals.
Er bereitet seine Flügel aus.

Deutsche Version

Der Pfau

Ihr seht hier alle einen Pfau
der tanzt sehr gern, macht eine Schau:
Er dreht den Kopf mal hin, mal her,
sein Radschlag, der beeindruckt sehr.
Er duckt sich auch mal tief durchaus
und breitet dann die Flügel aus.

Text: Wolfgang Hering

Five little fishies / Fünf kleine Fische

Originaltext 73

Five little fishies

Five little fishies swimming in a pool.
The first fish said: "This pool is cool!"
The second fish said: "This pool is deep."
The third fish said: "I want to sleep."
The fourth one said: "Let's dive and dip."
The fifth fish said: "I spy a ship."
A fishing boat comes, line goes ker-splash!
Away the five little fishies dash.

Text: trad. aus Großbritannien / USA

Deutsche Version

Fünf kleine Fische

Fünf kleine Fische schwimmen im Pool,
da sagt der eine: „Der Pool ist cool."
Der zweite sagt: „Der Pool ist groß."
Der dritte ruft: „Auf Los geht's los."
Der vierte dreht sich um den Bauch.
Der kleinste ruft: „Im Pool schwimmt auch
ein Schiff, seht ihr, da geradeaus
und Fischer werfen Netze aus!"
Die fünf kleinen Fische, ach du Schreck,
die suchen sich schnell ein Versteck.

Text: Wolfgang Hering

Umsetzung

Die Finger werden mit dem Daumen beginnend nacheinander vorgezeigt. Das Stück kann rhythmisiert bzw. am Taktschlag orientiert gesprochen werden, z. B. mit Klanghölzern oder einer Trommel als Begleitung.
Zur Originalfassung können auch die folgenden Bewegungen ausgeführt werden:

- Zur ersten Zeile mit fünf Fingern zappeln und den Arm schlängelnd bewegen,
- zur zweiten die Arme wärmend um den Körper legen.
- Die dritte Zeile mit tiefer Stimme sprechen,

- danach zu „I want to sleep" den Kopf auf die gefalteten Hände legen,
- anschließend die Hände nach unten abtauchen lassen („Let's dive").
- Zur sechsten Zeile eine Hand über die Augen halten oder ein „Fernglas" mit den Händen formen,
- zur siebten Zeile pantomimisch Netze auswerfen.
- Am Ende mit schnellen Bewegungen die Hand davonschwimmen lassen oder mit den Armen Schwimmbewegungen ausführen.

Little turtle / Eine kleine Schildkröte

Little turtle

There <u>was</u> a little <u>turtle</u>.
He <u>lived</u> in a <u>box</u>.
He <u>swam</u> in a <u>puddle</u>.
He <u>climbed</u> on the <u>rocks</u>.
He <u>snapped</u> at a mosquito.
He <u>snapped</u> at a <u>flea</u>.
He <u>snapped</u> at a <u>minnow</u>
and he <u>snapped</u> at <u>me</u>.
He <u>caught</u> the mosquito.
He <u>caught</u> the <u>flea</u>.
He <u>caught</u> the <u>minnow</u>,
but he <u>didn't</u> catch <u>me</u>.

Text: Nicholas Vachel Lindsay

Umsetzung

Besonders schön klingt dieses Spiel, wenn es sehr rhythmisch gesprochen wird. Zum englischen Originaltext werden diese Bewegungen ausgeführt:

- Am Anfang die Schildkröte („turtle") darstellen, dafür die eine Hand mit der Handfläche flach auf die Oberseite der anderen Hand legen (die langen Finger genau übereinander) und mit den Daumen wackeln,
- mit den Händen ein Quadrat in die Luft malen („box"),
- Schwimm- und Kletterbewegungen andeuten.
- Zum Wort „snapped" jeweils mit dem Daumen und den Fingern einer Hand nach dem Moskito, nach dem Floh und den Fischen schnappen, zu „snapped at me" wird eine Schnappbewegung zum eigenen Körper ausgeführt.
- Zu „caught" jeweils klatschen, zur letzten Zeile den Finger und Kopf verneinend schütteln.

Die deutsche Version kann mit sehr ähnlichen Bewegungen begleitet werden und mit einem Ausdruck der Freude enden, z. B. in die Hände klatschen.

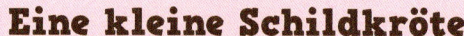

Eine kleine Schildkröte

Eine kleine <u>Schildkröte</u>,
der <u>Panzer</u> ist ihr <u>Haus</u>,
schwimmt <u>gerne</u> im Ge<u>wäss</u>er,
ruht <u>sich</u> auf Felsen <u>aus</u>.
Sie <u>schnappt</u> gern nach den <u>Fliegen</u>
und <u>auch</u> nach manchem <u>Floh</u>.
Sie <u>greift</u> nach kleinen <u>Fischen</u>,
beißt <u>fast</u> in meinen <u>Po</u>.
Sie <u>frisst</u> die vielen <u>Fliegen</u>,
er<u>wischt</u> auch Fisch und <u>Floh</u>.
Ich <u>kann</u> mich grad noch <u>retten</u>
und <u>bin</u> darüber <u>froh</u>.

Text: Wolfgang Hering

Five little seashells / Fünf Muscheln

Originaltext 75

Umsetzung

Dieses Fingerspiel hat folgenden Ablauf: Die Kinder zeigen mit einer Hand zunächst fünf Finger als „seashells" bzw. „Muscheln". Sobald die Welle kommt, deckt die andere Hand die Finger zu und in der folgenden Zeile wird ein Finger weniger gezeigt usw. Am Ende wird die letzte Muschel pantomimisch in die Tasche gesteckt.

Five little seashells

Five little seashells lying on the shore.
Swish… went the waves and then there were four.
Four little seashells pretty as can be.
Swish… went the waves and then there were three.
Three little seashells all pearly new.
Swish… went the waves and then there were two.
Two little seashells sparkling in the sun.
Swish… went the waves and then there was one.
One little seashell lying all alone.
I picked it up and took it home.

Text: trad. aus den USA

Deutsche Version

Fünf Muscheln

Fünf Muscheln liegen herum am großen Strand,
doch plötzlich kommt die Flut, spült Wellen an das Land.
Das Wasser ist gewaltig und schwappt mal hin, mal her,
spült gleich die erste Muschel hinaus ins weite Meer.
Vier Muscheln liegen da und sehen einen Hai,
da kommt die nächste Welle, schon sind es nur noch drei.
Drei Muscheln hören ein lautes Möwengeschrei,
kommt wieder eine Welle, da sind es nur noch zwei.
Zwei Muscheln liegen in der Sonne dort als Paar,
erneut kommt eine Welle, holt sich ein Exemplar.
Eine kleine Muschel, die liegt da ganz allein.
Ich nehm sie in die Hände und steck sie einfach ein.

Text: Wolfgang Hering

Мечка и бубулечка / **Bär und Käfer**

Originaltext 76

Мечка и бубулечка

Тръгна мечката по пътечката
исъгледа бубулечка
на една елхова клечка.
Зяпна мечката сърдито:
"Стой, гадинке, ще те ям!"
Ала вместо бубулечка
Меца лапна клечка.
Ревна мечката сърдито:
"Ох, убодох си езика!"

Text: trad. aus Bulgarien

Aussprache

Metschka i bubuletschka

Trgna metschkata po patetschkata
ißagleda bubulechka
na edna elkchova kletschka.
Zspna mechkata serdito:
"Stoi, gadinke, sche te jam!"
Ala vmesto bubuletschka
metschka lapna kletschka.
Revna mechkata serdito:
"Och, ubodoch si ezika!"

Übersetzung

Bär und Käfer

Der Bär lief einen Pfad entlang
und sah einen Käfer,
der auf einen Tannenzweig krabbelte.
Der Bär rief wütend:
„Warte, kleine Kreatur,
ich werde dich fressen!"
Aber statt des Käfers
biss er in den Tannenzweig.
Der Bär rief wütend:
„Aua, ich habe mir
die Zunge zerstochen!"

Deutsche Version

Bär und Käfer

Ein Bär kommt einen Pfad entlang,
tritt fast auf einen Käfer drauf.
Der krabbelt dort am Tannenzweig,
da braust der Bär ganz wütend auf:
„Du kleiner Käfer ärgerst mich,
geh aus dem Weg, du kleiner Wicht,
du schmeckst mir sicher, ganz bestimmt!
Ich fress dich auf, du Leichtgewicht."
Er greift danach, steckt was ins Maul,
schau, wie sein Lächeln gleich erlischt:
Er merkt, wie's an der Zunge sticht,
nur Zweige hat sein Maul erwischt.

Text: Wolfgang Hering

Umsetzung

Zum gesprochenen Text wird der Bär wird mit einem Arm und der Faust dargestellt, der Käfer
mit den Fingern der anderen Hand. Immer dann, wenn Bär und Käfer in Aktion sind, bewegt
sich die entsprechende Hand.

Wir bewegen uns

Strampelverse, Kniereiter und erste Bewegungsspiele

Strampelverse und Kitzelspiele für die Kleinsten können bereits auf dem Wickeltisch ausgeführt werden. Bei Knie- und Schoßreitern erleben die Kinder erste rhythmische Verse und machen musikalische Grunderfahrungen. Einfache Bewegungsspiele dienen dem Kennenlernen des eigenen Körpers.

Ich fahr mit meinem Fahrrad

Ich <u>fahr</u> mit meinem <u>Fahrrad</u>
durchs <u>schö</u>ne weite <u>Land</u>.
Ich <u>rad</u>el von den <u>Al</u>pen
bis <u>hin</u> zum Nordsee<u>strand</u>.
Mal <u>muss</u> ich kräftig <u>treten</u>,
mal <u>geht's</u> von ganz all<u>ein</u>.
Am <u>Abend</u> werd ich <u>mü</u>de
vom <u>vie</u>len Strampeln <u>sein</u>.

Text: trad.

Umsetzung

Zu diesen Strampelversen werden die Beine des Kindes auf dem Wickeltisch bewegt, ältere Kinder können im Sitzen mit den Beinen oder Armen selbst „mitradeln". In der vorletzten Zeile von *Ich fahr mit meinem Fahrrad* („Am Abend ...") kann das Tempo allmählich verlangsamt werden. *Die Maus hat rote Strümpfe an* wird im zweiten Teil durch Ruder-Bewegungen mit den Armen begleitet.

Die Maus hat rote Strümpfe an

Die <u>Maus</u> hat rote <u>Strümpfe</u> an,
da<u>mit</u> sie besser <u>rad</u>eln kann.
Sie <u>rad</u>elt bis nach <u>Dä</u>nemark,
denn <u>Rad</u>eln macht die <u>Wad</u>en stark.

Die <u>Maus</u> hat rote <u>Handschuh</u> an,
da<u>mit</u> sie besser <u>rud</u>ern kann.
Sie <u>rud</u>ert bis nach <u>Dä</u>nemark
denn <u>Rud</u>ern macht die <u>Arme</u> stark.

Text: trad.

Kniereiter: Der Koch / Schaukelkind / Wipp di wapp

Der Koch

Der Koch, der Koch,
kocht ein Gericht,
er fällt, er fällt,
er fällt noch nicht.
Der Koch, der Koch,
ich weiß es doch,
der fällt, der fällt,
der fällt … ins Loch!

Text: trad.

Schaukelkind

Ein Schaukel-, ein Schaukel-,
ein Schaukelkind,
das schaukelt, das schaukelt,
so wie der Wind.
Es schaukelt hin und her,
es schaukelt immer mehr,
es schaukelt immer höher,
der Himmel kommt näher,
auf einmal macht's bum
und das Schaukelkind fällt um.

Text: trad.

Wipp di wapp

Wipp di wapp, wipp di wapp,
geht die Wippe auf und ab.
Hin und her, hin und her,
wird's der Wippe ganz schön schwer.
Rundherum, rundherum,
fällt die Wippe auch mal um.

Text: trad.

Umsetzung

Bei diesen drei traditionellen deutschen Kniereitern sitzen die Kinder am besten so auf dem Schoß, dass ihr Gesicht dem Erwachsenen zugewandt ist. Dieser hält das Kind mit beiden Händen unter den Armen gut fest.

Zum Kniereiter *Der Koch* wird das Kind im Rhythmus des Taktschlages auf und niederbewegt. Bei „Loch" werden die Beine auseinander gezogen und das Kind fällt vorsichtig nach hinten.

Das *Schaukelkind* wird als Dreiertakt (mit Auftakt) gesprochen. Wenn vorher mehrmals bis drei gezählt wird, gelingt der Einstieg am besten. Das Kind wird auf den Knien im Schaukelrhythmus sanft hin und her bewegt.

Auch bei *Wipp di wapp* wird das Kind von einer Seite zur anderen geschaukelt, bis es schließlich sanft mit der Wippe „umfällt".

Kerekecske, gombocska / Kleines Rad

Originaltext  77

Kerekecske, gombocska

Kerekecske, gombocska,
itt szalad a nyulacska.
Erre megyen, itt megáll,
itt egy körutat csinál,
ide bújik, ide be,
kicsi gyermek keblibe.

Text: trad. aus Ungarn

Aussprache

Käräkätschke, gombotschkã

Käräkätschkä, gombotschkã,
itt sãlãd a njulãtschkã.
Ärrä mädjän, itt mägall,
itt ädj körutãt tschinaal,
idä buhjik, idä bä,
kitschi djärmäk käblibä.

Umsetzung

Mehrere Finger drehen Kreise im Handteller des Kindes, dann
wandern diese über den kleinen Arm, auf die Schultern, in den
Nacken und um den Kopf herum. Schließlich landen die Finger
auf der Brust des Kindes und kitzeln es.

Übersetzung

Kleines Rad, kleiner Knopf

Kleines Rad, kleiner Knopf,
das kleine Kaninchen läuft hier herum.
Hier läuft es, hier hält es an,
es läuft in der Runde.
Hier läuft es, hier dreht es um
und versteckt sich an der Brust des Kindes.

Deutsche Version

Kleines Rad

Kleines Rad, kleiner Kopf,
drehst dich grad so wie ein Knopf.
Der Hase läuft den Berg hinauf
und stoppt ganz oben seinen Lauf.
Da hat sich jemand wohl versteckt,
ich hab ihn gerade dort entdeckt.

Text: Wolfgang Hering

Questo è l'occhio bello / Das ist das Auge

Questo è l'occhio bello

Questo è l'occhio bello,
questo è suo fratello,
questa è la chiesina,
questo è il campanello
dlin dlin, dlin dlin.

Text: trad. aus Italien

Umsetzung

Bei diesem Fingerspiel wird zunächst mit einem Finger auf ein Auge gezeigt, dann auf das andere. Anschließend berührt der Finger die Lippen des Kindes und beim Glockengeläut wird an der Nase gewackelt.

Questo e lockio bello

Questo e lockio bello,
questo e suo fratello,
questa e la kiäsina,
questo e il kampanello:
dlin dlin, dlin dlin.

Das ist das schöne Auge

Das ist das schöne Auge,
dies ist sein Bruder,
das ist die Kirche,
das ist die Glocke,
bim bam, bim bam.

Das ist das Auge

Das ist das Auge,
das leuchtet sehr schön,
das ist sein Bruder,
der kann auch viel sehn.
Das ist der Mund,
der gut sprechen kann.
Das ist der Kirchturm
mit Glocken daran:
bim bam, bim bam.

Text: Wolfgang Hering

Abet Barg / Mama, nimm mich mit

Originaltext 79

Abet barg

Abet barg, *Adet* barg,
Cabyti barg, *Cabicbot* barg.
Fernu, fernu, fernu,
net, fikunekuen.
Liginli – cernkuen!

Text: trad. aus Eritrea

Aussprache

Abet bareg

Abet bareg, Adet bareg,
Abaiti bareg, Abibot bareg.
Fernu, fernu, fernu,
net, finukun.
Lingeli – ernkun!

Umsetzung

Beim Originaltext können für die Wörter „Abet" *(Papa)*, „Adet" *(Mama)*, „Cabyti" *(Oma)* und „Cabicbot" *(Opa)* auch verschiedene Namen eingesetzt werden, bei der deutschen Version kann „Mama" ersetzt werden. Zwei Fingern krabbeln von der Hand aus den Arm des Kindes hoch. Bei der „Pause" („fikunekuen") wird im Ellenbogen beliebig lange angehalten. Schließlich wird die letzte Zeile aufgesagt und das Kind wird unter den Achseln gekitzelt.

Übersetzung

Papa, nimm mich mit

Papa, nimm mich mit, Mama, nimm mich mit,
Oma, nimm mich mit, Opa, nimm mich mit,
Wir gehen, gehen, gehen,
nun, Pause,
zu Hause angekommen!

Deutsche Version

Mama, nimm mich mit

Mama, *Mama*, nimm mich mit!
Wir gehn zusammen Schritt für Schritt.
Mittendrin gibt's eine Pause,
und dann sind wir schnell zuhause.

Text: Wolfgang Hering

Hompeltje en Pompeltje / Himpelchen und Pimpelchen

Hompeltje en Pompeltje

Hompeltje en Pompeltje woonden op een berg.
Hompeltje was een kaboutertje
en Pompeltje een dwerg.
Ze klommen samen naar het topje
en schudden, schudden met hun kopje.
Toen zijn ze in de berg gekropen
e niemand zag ze ooit meer lopen.
Ze slapen heel de winter door
zachtjes op één oor.
Sssst! Ik geloof dat ik ze hoor:
„Ch... ch... ch... ch... ch... ch..."
Ja hioor, daar zijn ze weer!

Text: trad. aus den Niederlanden

Aussprache

Hompeltje en Pompeltje

Hompeltche en Pompeltje wonden op en berch.
Hompeltje was en kabautertje
en Pompeltje en dwerch.
Se klommen samen nar het topje
en skudden, skudden met hun kopje.
Tun sein se in de berch gekropen
e niemand sag se oit mer lopen.
Se slapen hel de winter dor
sachjes op en ohr,
Ssss! Ik gelof dat ik se hor:
„Ch... ch... ch... ch... ch... ch..."
Ja hor, dar sein se wer!

Deutsche Version

Himpelchen und Pimpelchen

Himpelchen und Pimpelchen
stiegen auf einen Berg.
Himpelchen war ein Heinzelmann
und Pimpelchen war ein Zwerg.
Sie blieben lange dort oben sitzen
und wackelten mit ihren Zipfelmützen.
Doch nach vielen, vielen Wochen
sind sie in den Berg gekrochen.
Dort schliefen sie in guter Ruh,
seid schön still und hört gut zu:
„Ch… ch… ch… ch… ch… ch … "
Heißa, heißa, hoppsasa,
Himpelchen und Pimpelchen sind wieder da!

Text: trad.

Umsetzung

Die Daumen schauen als Himpelchen und Pimpelchen aus den geschlossenen Fäusten heraus, dann

- steigen sie den Berg hinauf (Fäuste abwechselnd aufeinander stellen),
- wackeln sie mit ihren Zipfelmützen (mit den Händen eine Mütze über dem Kopf darstellen und mit dem Kopf wackeln),
- kriechen sie in den Berg (Daumen in die Fäuste stecken),
- schlafen sie (gefaltete Hände an die Wange legen),
- schnarchen sie (lauschen mit der Hand hinter dem Ohr),
- wachen sie wieder auf (Daumen wieder ausstrecken und bewegen).

鼻口 / **Nase, Nase, Nase, Mund**

Originaltext 🎧 81

耳	口	鼻	鼻
耳	口	鼻	口
耳	口	鼻	
目	耳	口	

Text: trad. aus Japan

Aussprache

Hana, kutschi

Hana, hana, hana, kutschi
kutschi, kutschi, kutschi, mimi
mimi, mimi, mimi, me.

Übersetzung

Nase, Mund

Nase, Nase, Nase, Mund,
Mund, Mund, Mund, Ohr,
Ohr, Ohr, Ohr, Augen.

Deutsche Version

Nase, Nase, Nase, Mund

Nase, Nase, Nase, Mund,
manchmal ist der kugelrund.
Mund, Mund, Mund, Ohr,
zieh mal dran, zurück und vor.
Ohr, Ohr, Ohr, Bauch,
hat der Hunger, knurrt er auch.
Bauch, Bauch, Bauch, Po,
wenn der wackelt, sind wir froh.
Po, Po, Po, Fuß,
wink damit zu einem Gruß!

Text: Wolfgang Hering

Umsetzung

Die Idee des japanischen Originals wurde in der deutschen Version übernommen: Je dreimal wird ein bestimmter Teil des Körpers genannt und am Ende ein neuer Körperteil hinzugefügt. Dazu kann mit kleinen Kindern auf die genannten Körperteile gezeigt werden.

In Japan wird dieses Sprechstück auch in zwei weiteren Varianten gespielt:

1. Beim Sprechen des letzten Körperteils einer Zeile darf genau dieses nicht berührt werden, sondern es muss ein beliebiges anderes gewählt werden. Wer nicht aufpasst, scheidet aus.
2. Der Sprecher spricht den Text wie notiert, berührt aber gleichzeitig andere Körperteile. Die Kinder müssen die Teile an ihrem Körper berühren, die genannt werden – aber nicht die, die gezeigt werden, sonst scheiden sie aus.

Klap eens in je handjes / Klatsch mal in die Hände S. 124

Originaltext 🎧 82

Klap eens in je handjes

Klap eens in je handjes, blij, blij, blij,
op je boze bolletje, allebei.
Handjes in de hoogte,
handjes in je zij.
Zo varen de scheepjes voorbij.

Text: trad. aus den Niederlanden

Aussprache

Klap ens in je handjes

Klap ens in je handjes, blei, blei, blei,
op je bose bolletje, allebei.
Handjes in de hoochte,
handjes in je sei.
So fahren de skeepches vorbei.

Umsetzung

Bei diesem Stück aus den Niederlanden erfolgt mit der letzten Textzeile ein Taktwechsel von einer geraden zu einer ungeraden Taktart. Bei der Vorbereitung des Stücks kann nach dem Wort „Zo"/„dann" in der letzten Zeile zweimal geklatscht werden, damit die anschließende Erarbeitung mit den Kindern sicher gelingt.

- Zur ersten Zeile wird im Sprachrhythmus vor dem Körper in die Hände geklatscht,
- in der zweiten Zeile klatschen die Hände über dem Kopf („op je boze bolletje") bzw. die Hände wackeln den Kopf sanft hin und her („wackel mit dem Köpfchen"),
- zu „handjes"/„Die Hände" strecken die Kinder die Arme nach oben,
- danach wandern die Arme zur Hüfte („in je zij"/„zu der Hüfte").
- Beim Dreiertakt der letzten Zeile wird von links nach rechts gewippt.

Übersetzung

Klatsch einmal mit den Händen

Klatsch einmal mit den Händen,
froh, froh, froh,
über dein wütendes Köpfchen, alle beide.
Hände in die Höhe,
Hände in deine Seite.
So fahren die Schiffe vorbei!

Deutsche Version

Klatsch mal in die Hände

Klatsch mal in die Hände,
klapp, klapp, klapp.
Wackel mit dem Köpfchen,
schwapp di wapp.
Die Hände in die Lüfte,
sie wandern zu der Hüfte,
dann fahren die Schiffe vorbei!

Text: Wolfgang Hering

Le manine / Die Hände

Le manine

Queste son le mie manine,
sono belle e son piccine,
si aprono
e si chiudono,
allegre tutto il dì.
Questi sono i miei ditini,
sono dieci fratellini,
si chiudono
e si stendono.
Queste son le mie manine
sono belle e son piccine.

Text: trad. aus Italien

Umsetzung

Die Bewegungen zu diesem italienischen Fingerspiel werden dem Alter der Kinder angepasst: Am Anfang können mit den Händen Bewegungen wie beim Händewaschen ausgeführt werden. Danach öffnen und schließen die Kinder die Hände. In der Zählzeile können ältere Kinder alle Finger nacheinander zeigen.

Le manine

Queste son le miä manine
sono belle e son pitschine
si aprono
e si kiudono
allegre tutto il dì.
Questi sono i miäi ditini,
sono dietschi fratellini,
si kiudono
e si stendono.
Queste son le miä manine
sono belle e son pitschine.

Die Hände

Das sind meine Hände,
sie sind schön und klein,
man kann sie öffnen
und schlißcn,
fröhlich den ganzen Tag.
Das sind meine Finger,
es sind zehn Brüder,
man kann sie öffnen
und sie strecken.
Das sind meine Hände,
sie sind schön und klein.

Die Hände

Zeigt eure Hände, klitzeklein,
wir waschen sie zum Essen rein
und dabei zappeln sie ganz fein.
Ich lad euch nun zum Zählen ein.
Von eins bis zehn, die Fingerlein,
die sollen unsre Freunde sein:
1, 2, 3, 4, 5, 6, 7, 8, 9, 10!
Sie schließen sich von ganz allein,
zusammen wird daraus ein Stein.
Ja, manchmal schaun sie müde drein,
und schlafen dann ganz friedlich ein.

Text: Wolfgang Hering

J'ai deux mains / Ich habe zwei Hände

Originaltext 🎧 84

J'ai deux mains

J'ai deux mains.
Elles sont propres.
Elles se regardent.
Elles se tournent le dos.
Elles se croisent.
Elles se tapent.
Elles nagent.
Elles s'envolent.
Et puis elles s'en vont
derrière mon dos.

Text: trad. aus Frankreich

Aussprache

Dschä dö mã

Dschä dö mã.
Ell sõ propre.
Ell se rəgard.
Ell se turn le do.
Ell se croas.
Ell se tap.
Ell nasch.
Ell sãnwol.
E püi ell sã vã
derriär mã do.

Übersetzung

Ich habe zwei Hände

Ich habe zwei Hände.
Sie sind sauber.
Sie schauen sich an.
Sie drehen sich den Rücken zu.
Sie kreuzen sich.
Sie klatschen.
Sie schwimmen.
Sie fliegen weg.
Und sie verschwinden hinter
meinem Rücken.

Umsetzung

Bei *J'ai deux mains* folgen die Bewegungen genau dem Spieltext:

- Zuerst werden die Handflächen der Hände gezeigt („elles sont propres"),
- dann werden die Handflächen zueinander gedreht („se regardent"),
- nach vorne gestreckt und in der Luft gedreht („se tournent"),
- die Handflächen überkreuzt („se croisent").
- Die Hände klatschen („se tapent"), machen Schwimmbewegungen („nagent") und „fliegen" weg („s'envolent"),
- schließlich verstecken sie sich hinter dem Rücken.

Auch zur deutschen Version werden die Anweisungen aus dem Spieltext in Bewegungen umgesetzt (bei der Textzeile „voll Dreck" die Handflächen anschauen).

Deutsche Version

Ich habe zwei Hände

Ich habe zwei Hände,
die blitzsauber sind.
Ich streck sie nach vorne.
Sie flattern im Wind.
Ich kann sie auch drehen
mal hin und mal her.
Ich kreuze die Arme,
das ist gar nicht schwer.
Ich klatsch in die Hände,
und streck sie zum Fuß,
Ich schwimm eine Runde,
und winke zum Gruß.
Die Hände, die sind auch
mal richtig voll Dreck,
und hinter dem Rücken
da ist ihr Versteck.

Text: Wolfgang Hering

Up and down / Hoch und runter

Originaltext 85

Up and down

Up and down, round and round,
put your fingers on the ground.
Over, under, in between,
now my fingers can't be seen!
Hands in front, hands behind,
now my hands, I cannot find.
Here's my left hand, here's my right,
hands and fingers back in sight.

Text: trad. aus Großbritannien / USA

Umsetzung

Up and down ist ein schönes Bewegungsspiel für beide Hände, das im Sitzen ausgeführt wird:

- Die Hände zunächst nach oben und unten strecken („up and down"),
- anschließend kreisförmig vor dem Körper („round and round") und zum Boden („on the ground") bewegen.
- Die Finger auf die Oberschenkeln („over") und darunter („under") legen, dann zwischen den Beinen („in between") verstecken.
- Die Hände nach vorne strecken („in front"), hinter den Rücken halten („behind") und einzeln wieder hervorholen, erst die linke („left hand"), dann die rechte („my right").
- Zu „back in sights" mit den Fingern wackeln.

Die deutsche Textübertragung orientiert sich weitgehend an der englischen Vorlage.

Deutsche Version

Hoch und runter

Hoch und runter, mach dich krumm.
Dreh die Finger rundherum.
Lass sie an die Decke gehn,
sie berührn mal kurz die Zehn.
Hände vor und dann zurück,
hinterm Rücken, aus dem Blick.
Lass sie dann vorüberziehn.
Halt sie zwischen deinen Knien,
Winke einzeln, ganz gewandt,
links und rechts mit jeder Hand.

Text: Wolfgang Hering

Sampung mga daliri /
Seht meine zehn Finger 🎵 S. 124

S. 124

Originaltext 🎧 86

Sampung mga daliri

Sampung mga daliri,
kamay at paa,
dalawang mata, dalawang tainga,
ilong na maganda.
Maliliit na ngipin
masarap kumain,
dilang maliit, nagsasabi
huwag kang magsinungaling.

Text: trad. von den Philippinen

Umsetzung

Dieses Stück ist in der philippinischen Hauptsprache Tagalog verfasst, das vor allem im Norden sowie in der Hauptstadt Manila gesprochen wird. Die Grundidee besteht darin, die im Text genannten Körperteile „daliri" *(Finger)*, „kamay" *(Hände)*, „paa" *(Füße)*, „mata" *(Augen)*, „tainga" *(Ohren)*, „ilong" *(Nase)*, „ngipin" *(Zähne)* und „dilang" *(Zunge)* zu Bewegungen anzuregen. In der deutschen Version wurden noch andere Körperteile ergänzt, die zwischen den einzelnen Sprechzeilen gezeigt und bewegt werden können.

Übersetzung

Zehn Finger

Zehn Finger,
Hände und Füße,
zwei Augen, zwei Ohren,
eine schöne Nase.
Kleine Zähne,
gutes Essen,
die kleine Zunge
darf niemals lügen.

Deutsche Version

Seht meine zehn Finger

Seht meine zehn Finger,
ihr stampft mit den Füßen,
ein Fuß geht nach oben,
so wolln wir uns grüßen.
Zwei Ohren, zwei Augen,
die Nase darunter.
Ich kann sie bewegen,
sie wackelt ganz munter.
Seht her meine Zunge,
verdeck sie beim Gähnen.
Ich kann damit sprechen
und kau mit den Zähnen.
Ich zeig euch die Hände,
schaut, wie sie hier winken,
und wie sie dann langsam
zum Knie niedersinken.

Text: Wolfgang Hering

My head / Mein Kopf

Originaltext 🎧 87

My head

This is the circle that is my head.
This is my mouth with which words are said.
These are my eyes with which I see.
This is my nose that's a part of me.
This is the hair that grows on my head.
And this is my hat all pretty and red.

Text: trad. aus Großbritannien / USA

Umsetzung

Zunächst zum gesprochenen Vers einen Kreis mit
den Händen in die Luft zeichnen oder mit dem Zeigefinger einer Hand auf den Kopf zeigen. Zur zweiten
Zeile mit einer Hand einen auf- und zuklappenden
Mund darstellen oder diesen berühren. Anschließend
Nase und Haare anfassen und den Hut am Ende mit
beiden Händen über dem Kopf andeuten.

Deutsche Version

Mein Kopf

Das ist ein Kreis wie ein Kopf so groß.
Das ist mein Mund, der spricht gern drauflos.
Mit meinen Augen, da schau ich dich an.
Die Nase hängt ebenfalls an mir dran.
Das ist mein Haar, schau dort unterm Hut,
und dieser Hut steht mir wirklich gut.

Text: Wolfgang Hering

La boca / Der Mund

  88

La boca

Una boca para comer,
una nariz para oler,
dos ojos para ver,
dos oídos para oír
y una cabeza para dormir.

Text: trad. aus Spanien

Aussprache

La bocka

Una bocka para komer,
una nariθ para oler.
dos ochos para wer,
dos oidos para oir
i una kabeθa para dormir.

Übersetzung

Der Mund

Ein Mund zum Essen,
eine Nase zum Riechen,
zwei Augen zum Sehen,
zwei Ohren zum Hören
und einen Kopf zum Schlafen.

Umsetzung

Passend zum Sprechvers mit den Fingern die genannten Körperteile sanft berühren. Am Ende wird mit den Händen ein Kissen angedeutet und der Kopf darauf gebettet.

Deutsche Version

Der Mund

Ein Mund zum Futtern,
die Nase zum Schnuppern,
zwei Augen zum Sehen,
zwei Ohrn zum Verstehen,
der Kopf ist zum Denken
und kann Träume schenken.

Text: Wolfgang Hering

La hormiguita / Die Ameise

Originaltext 🎧 89

La hormiguita

Andaba una hormiguita
juntando su leñita.
Cayó una lloviznita
y corrió y se metió en su casita.

Text: trad. aus Spanien

Aussprache

La ormigieta

Andaba una ormigieta
chuntando su lenjita.
Cajoh una joviθnita
i corrioh i se metioh en su casita.

Umsetzung

Zwei Finger laufen über die Hand des Kindes. Danach tippeln
sie den Arm hinauf und am Ende („en su casita" / „nach Hause")
verschwinden sie in der Achselhöhle des Kindes.

Übersetzung

Die Ameise

Eine Ameise ging
um Feuerholz zu sammeln.
Da begann es zu regnen
und sie rannte und gelangte zu
ihrem Häuschen.

Deutsche Version

Die Ameise

Eine kleine Ameise
ging auf eine Reise,
traf eine Bekannte,
die gleich mit ihr rannte.
Schnell ging es im Dauerlauf
einen hohen Berg hinauf.
Regentropfen fielen dort,
weit und breit kein trockner Ort.
Drum nach einer kurzen Pause,
rannten beide schnell nach Hause.

Text: Wolfgang Hering

Le rat / Katze und Ratte

Originaltext 🎧 90

Le rat

Un, deux, trois,
il y a un chat,
qui aime manger les rats.
Un, deux, trois,
allez-vous! Voyez le rat!
On le cachera!
Sautez, sautez, sautez …!

Text: trad. aus dem Senegal

Aussprache

Le ra

Ã, dö, troa,
ilja ã scha,
ki äm mãndscheh lə ra.
Ã, dö, troa,
allewu! Wojeh lə ra!
Õ le kascherah.
Soteh, soteh, soteh …!

Umsetzung

Dieses Spiel kommt aus dem Senegal und erinnert an *Der Plumpsack geht um*: Die Kinder stehen in einem engen Kreis. Ein Kind bekommt eine kleine Katze (Stofftier oder Fingerpuppe) und läuft außen um den Kreis herum. Während der Vers gesprochen wird, geben die übrigen Kinder im Kreis in entgegengesetzter Richtung eine kleine Stoff-Ratte herum und verstecken diese zur Zeile „On le cache-ra!" / „Aufgepasst, …" vor dem Bauch in beiden Händen. Die Katze läuft nun begleitet von den Rufen „Sautez, sautez" bzw. „die Ratte, …" um den Kreis herum bis zu dem Kind, bei dem sie die Ratte vermutet. Hat sie richtig geraten, wird dieses Kind zur nächsten Katze. Alternativ kann die Ratte auch versuchen, um den Kreis herum vor der Katze wegzulaufen.

Übersetzung

Die Ratte

Eins, zwei, drei,
da ist eine Katze,
die gerne Ratten frisst.
Eins, zwei, drei.
Auf geht's! Seht die Ratte!
Wir verstecken sie!
Springt, springt, springt …!

Deutsche Version

Katze und Ratte

Eins, zwei, drei,
die Katze kommt herbei.
Sie schleicht und liebt das Jagen sehr,
sie läuft der Ratte hinterher.
Aufgepasst, aufgepasst,
die Ratte, die wird gleich gefasst.

Text: Wolfgang Hering

Alle klatschen mit

Rhythmusspiele für Kleine und Große

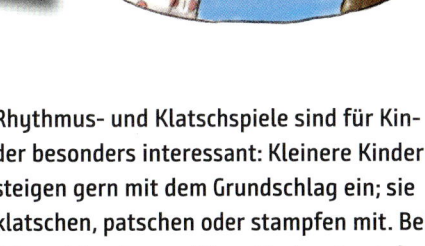

Rhythmus- und Klatschspiele sind für Kinder besonders interessant: Kleinere Kinder steigen gern mit dem Grundschlag ein; sie klatschen, patschen oder stampfen mit. Bei Echospielen lernen ältere Kinder ein einfaches Taktgefüge, beim Überkreuzklatschen schwierige Körperkoordination.

China, china, capuchina 🎧 91

China, china, capuchina,
en esta mano está la china.

Text: trad. aus Spanien

Ringelschweinchen

Ringel- Ringel- Ringelschweinchen,
in der Hand, da ist ein Steinchen.

Text: Wolfgang Hering

Umsetzung

Die Kinder bilden Paare. Jedes Kind besitzt ein Steinchen, versteckt es hinter dem Rücken entweder in der rechten oder der linken Hand und streckt dann beide geschlossenen Fäuste vor dem Körper aus. Zum Grundrhythmus des gesprochenen Verses tippen die Kinder die Fäuste des Partners abwechselnd an. Am Ende (bei „china" oder „Steinchen") öffnen beide Kinder die Hände, die sich zuletzt berührt haben. Hat ein Kind einen Stein, das andere nicht, bekommt dieses einen Punkt. Haben beide Kinder einen oder keinen Stein in den geöffneten Händen erhält kein Kind einen Punkt. Das Spiel endet nach einer vorher festgelegten Anzahl von Punkten.

Batti le manine / Klatsche mit mir

Originaltext 92

Batti le manine

Batti, batti le manine,
che adesso vien papà.
E ti porta i biscottini
e *Giovanni* li mangerà!

Text: trad. aus Italien

Umsetzung

Sehr kleine Kinder sitzen auf dem Schoß eines Erwachsenen, der mit den Händchen des Kindes zu dem
Sprechvers klatscht. Größere Kinder können selbstständig agieren. Statt des Wortes „dir" in der deutschen
Fassung kann auch der Name des Kindes eingesetzt
werden, im Originaltext wird „Giovanni" in der letzten
Zeile durch den Namen des Kindes ersetzt. Am Ende
dürfen die Kinder z.B. einen Keks essen.

Übersetzung

In die Hände klatschen

Klatschen, klatschen in die Hände,
Papa kommt bald nach Hause.
Er bringt dir Kekse mit
und Giovanni wird sie alle essen!

Aussprache

Batti le manine

Batti, batti le manine,
ke adesso viän papah.
E ti porta i biskottini
e Dschowanni li mandscherah!

Deutsche Version

Klatsche mit mir

Klatsche mit mir in die Hände,
Papa, der kommt gleich nach Haus.
Er bringt *dir* was Leckres mit,
und das wird ein großer Schmaus!

Text: Wolfgang Hering

Bate chocolate /
Eins, zwei, drei, Schokolade

Originaltext 🎧 93

Bate chocolate

Uno, dos, tres, cho!
Uno, dos, tres, co!
Uno, dos, tres, la!
Uno, dos, tres, te!
Bate, bate, chocolate!
Tu nariz de cacahuate.

Text: trad. aus Mexiko

Aussprache

Batte tschokolate

Uno, dos, tres, tscho!
Uno, dos, tres, ko!
Uno, dos, tres, la!
Uno, dos, tres, te!
Batte, batte, tschokolate!
Tu nariß de kakauate.

Übersetzung

Rühr die Schokolade

Eins, zwei, drei, Scho-,
eins, zwei, drei, ko-
eins, zwei, drei, la-
eins, zwei, drei, de.
Rühre, rühre die Schokolade!
Du mit deiner Erdnussnase.

Deutsche Version

Eins, zwei, drei, Schokolade

Eins, zwei, drei, Scho-,
eins, zwei, drei, ko-
eins, zwei, drei, la-
eins, zwei, drei, de.
Rühre, rühre, dideldum,
den Kakao ganz kräftig um.

Text: Wolfgang Hering

Umsetzung

Von diesem mexikanischen Rhythmusspiel gibt es viele unterschiedliche Versionen und dazugehörige Bewegungsabläufe. Es wird z. B. zu den Zahlen „uno, dos, tres" bzw. „eins, zwei, drei" in die eigenen Hände oder die Hände des Gegenüber geklatscht. Die letzten Silben der ersten vier Zeilen ergeben gemeinsam das Wort „cho-co-la-te" bzw. „Scho-ko-la-de", diese werden betont ausgesprochen und die Kinder patschen dazu auf die eigenen Oberschenkel. Zu den letzten beiden Verszeilen der deutschen Version wird eine Rührbewegung mit beiden Händen ausgeführt, zum Originaltext wird zunächst gerührt, dann fassen die Kinder an die eigene Nase oder an die eines Partners.

Tipp Werden die letzten beiden Zeilen beim Sprechen wiederholt, kann das Stück auch als Sprechkanon ausgeführt werden. Der Einsatz der zweiten Gruppe erfolgt mit der fünften Zeile.

Frappe, frappe, frappe / Klatsch, klatsch, klatsch

Originaltext 🎧 94

Frappe, frappe, frappe

Frappe, frappe, frappe, doigts croisés.
Frappe, frappe, frappe, poings fermés.
Frappe, frappe, frappe, bras croisés.
Frappe, frappe, frappe, mains cachées.
Frappe, frappe, frappe, main cachée.
Frappe, frappe, frappe, pouces levés,
frappe, frappe, frappe, poings serrés.
Frappe, frappe, frappe, doigts écartés.

Text: trad. aus Frankreich

Aussprache

Frapp, frapp, frapp

Frapp, frapp, frapp, doah kroaseh,
Frapp, frapp, frapp, poa fermeh.
Frapp, frapp, frapp, bra kroaseh.
Frapp, frapp, frapp, mã kascheh.
Frapp, frapp, frapp, mã kascheh.
frapp, frapp, frapp, puss ləweh.
Frapp, frapp, frapp, poa sereh.
Frapp, frapp, frapp, doahs ekarteh.

Übersetzung

Klatsch, klatsch, klatsch

Klatsch, klatsch, klatsch, Finger gekreuzt.
Klatsch, klatsch, klatsch, Fäuste geschlossen.
Klatsch, klatsch, klatsch, Arme gekreuzt.
Klatsch, klatsch, klatsch, Hände versteckt.
Klatsch, klatsch, klatsch, Hand versteckt.
Klatsch, klatsch, klatsch, Daumen hochgehalten.
Klatsch, klatsch, klatsch, Fäuste geballt.
Klatsch, klatsch, klatsch, Finger gespreizt.

Deutsche Version

Klatsch, klatsch, klatsch

Klatsch, klatsch, klatsch,
die Finger nun verschränkt.
Klatsch, klatsch, klatsch,
die Fäuste so gelenkt.
Klatsch, klatsch, klatsch,
die Arme wackeln keck.
Klatsch, klatsch, klatsch,
die Hände, die sind weg.
Klatsch, klatsch, klatsch,
die rechte Hand nun raus.
Klatsch, klatsch, klatsch,
der Daumen streckt sich aus.
Klatsch, klatsch, klatsch,
den Daumen zugedeckt.
Klatsch, klatsch, klatsch,
die Finger lang gestreckt.

Text: Wolfgang Hering

Umsetzung

Bei diesem Klatschspiel wird immer zu „frappe" bzw.
„klatsch" in die Hände geklatscht. Nach drei Klatschern folgt
eine kurze Pause, dann wird zur jeweils nachfolgenden Zeile
die im Vers beschriebene Bewegung ausgeführt z.B.:

- zwei Finger kreuzen und damit dreimal klatschen („doigts
  coisés" bzw. „Finger nun verschränkt"),
- Fäuste dreimal aneinander klopfen („poings fermés" bzw.
  „so gelenkt"),
- Unterarme auf und nieder bewegen,
- Hände hinter dem Rücken verschwinden lassen usw.

Mosquito one / Die zehn Schnaken

Mosquito one

Mosquito one, mosquito two,
mosquito jump in the <u>old</u> man shoe.
mosquito three, mosquito four,
mosquito open the <u>old</u> man door.
mosquito five, mosquito six,
mosquito pick up the <u>old</u> man sticks.
mosquito seven, mosquito eight,
mosquito open the <u>old</u> man gate,
mosquito nine, mosquito ten,
mosquito biting the <u>man</u> again.

Text: trad. aus Guyana

Umsetzung

Zum Originaltext wird jeweils bei „mosquito" auf die zweite Silbe geklatscht, außerdem werden alle Zahlen, die im Vers vorkommen, mit den Fingern angezeigt. Zu den Zeilen 2, 4, 6, 8 und 10 wird die jeweilige Aktion ausgeführt: hüpfen, mit einem Arm eine Türe aufmachen, einen Stock aufheben, mit beiden Händen ein Tor öffnen, sanft mit den Fingern in einen Arm zwicken.

Bei der deutschen Version werden die Bewegungen entsprechend angepasst, z. B. mit den Armen durch die Luft fliegen („verfolgen Opa"), eine Tür öffnen, mit der einen Hand auf den Handrücken der anderen tippen („einen Klecks"), in die Hände klatschen („viel Krach").

Tipp Das Wort „Schnake" kann auch durch „Mücke" oder „Gelse" ersetzt werden.

Die zehn Schnaken

<u>Schnake</u> eins und <u>Schnake</u> zwei
ver<u>folgen</u> Opa <u>mit</u> Geschrei.
<u>Schnake</u> drei und <u>Schnake</u> vier,
<u>fliegen</u> summend <u>durch</u> die Tür.
<u>Schnake</u> fünf und <u>Schnake</u> sechs
<u>hinterlassen einen</u> Klecks.
<u>Schnake</u> sieben, <u>Schnake</u> acht
<u>haben</u> schon viel <u>Krach</u> gemacht.
<u>Schnake</u> neun und <u>Schnake</u> zehn.
<u>stechen</u> Opa <u>in</u> die Zehn.

Text: Wolfgang Hering

Australisches Klatschspiel

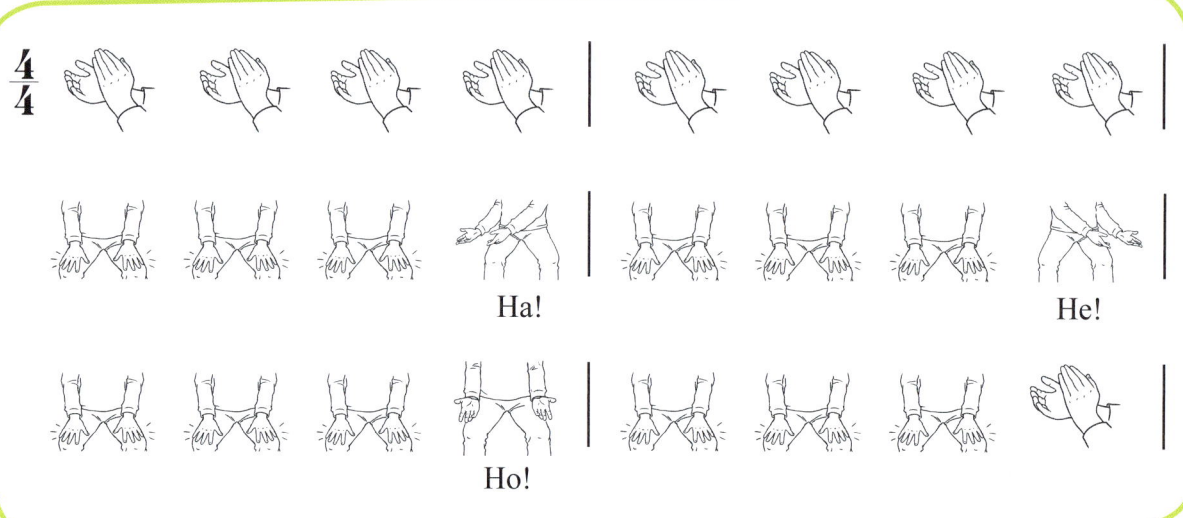

Umsetzung

Dieses Klatschspiel stammt von den Aborigines, den Ureinwohnern Australiens.
Alle Kinder sitzen im Stuhlkreis (oder Schneidersitz im Kreis auf dem Boden)
und führen die abgebildeten Bewegungen in einem gleichmäßigen Grundrhythmus aus. Zunächst wird geklatscht und auf die Oberschenkel gepatscht.
Die gesprochenen Silben werden mit einer ruckartigen Armbewegung nach
vorne rechts / links / geradeaus begleitet. Am besten gelingt dieses Stück, wenn
mit einem sehr langsamen Tempo begonnen wird, das allmählich gesteigert
werden kann.

Alternativ kann das Patschen auch im Achteltempo (doppelt so schnell) ausgeführt werden. Außerdem ist eine Umsetzung als Kanon (Einsätze zu Beginn
jeder Zeile) möglich.

Taši, taši, tanana / Klatsch, klatsch, tralala

Originaltext 96

Taši, taši, tanana

Taši, taši, tanana,
evo jedna grana,
a na grani jabuka,
kao milovana.
Doleteće ptičica,
ljuljnuće se grana,
otpanuće jabuka,
dignuće je *Ana*.

Text: trad. aus Serbien / Kroatien / Bosnien

Aussprache

Taschi, taschi, tanana

Taschi, taschi, tanana,
ewo jedna grana,
a na grani jabuka,
kao milowana.
Doletetsche ptitschitsa,
ljuljnutsche se grana,
otpanutsche jabuka,
dignutsche je Ana.

Umsetzung

Das Originalstück hat eigentlich viele Strophen und kann auch gesungen werden. Hier wurde die erste Strophe herausgegriffen, da diese sich auch sehr gut als Sprechvers eignet. Zum Originaltext und zur deutschen Version klatschen die Kinder im Grundschlag mit. Der Name „Ana" in der letzten Zeile des Originalverses kann auch durch andere Namen ersetzt werden, ebenso „alle Kinder" (z. B. durch „Max und Carla") in der deutschen Version. Das aufgerufene Kind (bzw. die aufgerufenen Kinder) führt dann am Ende eine vorher vereinbarte Bewegung aus.

Übersetzung

Klatsche, klatsche, tralala

Klatsche, klatsche, tralala,
da ist ein kleiner Zweig,
ein Apfel hängt daran,
ein liebliches Äpfelchen.
Da kommt ein Vögelein,
das Zweiglein schaukelt,
der Apfel fällt runter,
und Anna hebt ihn auf.

Deutsche Version

Klatsch, klatsch, tralala

Klatsch, klatsch, tralala
da oben hängt, wie wunderbar,
ein Apfel an dem Ast und strahlt,
so sieht er fast aus wie gemalt.
Da kommt ein Vöglein nun ins Bild
und schüttelt an dem Ast ganz wild.
Die Äpfel fallen ringsumher,
und *alle Kinder* freun sich sehr.

Text: Wolfgang Hering

Дружба / **Freundschaft**

Originaltext 🎧 97

Дружба

Мирись, мирись
и больше не дерись.
А если будешь драться,
я буду кусаться.
А кусаться нам нельзя,
потому что мы друзья.

Text: trad. aus Russland

Umsetzung

Dieses russische Stück mit dem schönen Titel *Freundschaft* eignet sich gut zur Versöhnung nach einem Streit: Zwei Kinder stehen sich gegenüber und sind mit den kleinen Fingern eingehakt. Der Vers wird rhythmisch gesprochen und dabei bewegen die Kinder die Arme vor und zurück (wie beim Sägen). Bei dem Wort „drusja" bzw. „Freundschaft" umschließt jeweils die freie Hand die eingehakten Finger.

Übersetzung

Freundschaft

Vertrage dich, vertrage dich
und haue nicht mehr.
Aber wenn du doch kämpfst,
werde ich beißen.
Aber beißen dürfen wir nicht,
weil wir Freunde sind.

Aussprache

Druschba

Miris, miris,
i bolsche nje deries.
A esli budjesch dratsa,
ja budu kusatsa.
A kusatsa nam nelsja,
patamu schto mi drusja.

Deutsche Version

Freundschaft

Wir wolln uns nicht mehr schlagen,
und wieder gut vertragen.
Lass uns zusammenreißen,
nicht hauen, nicht mehr beißen.
Sind wir auch mal verschieden,
wolln wir doch wieder Frieden.
Den Stein, den kann man spalten,
doch Freundschaft bleibt erhalten.

Text: Wolfgang Hering

Cohetes / Feuerwerk

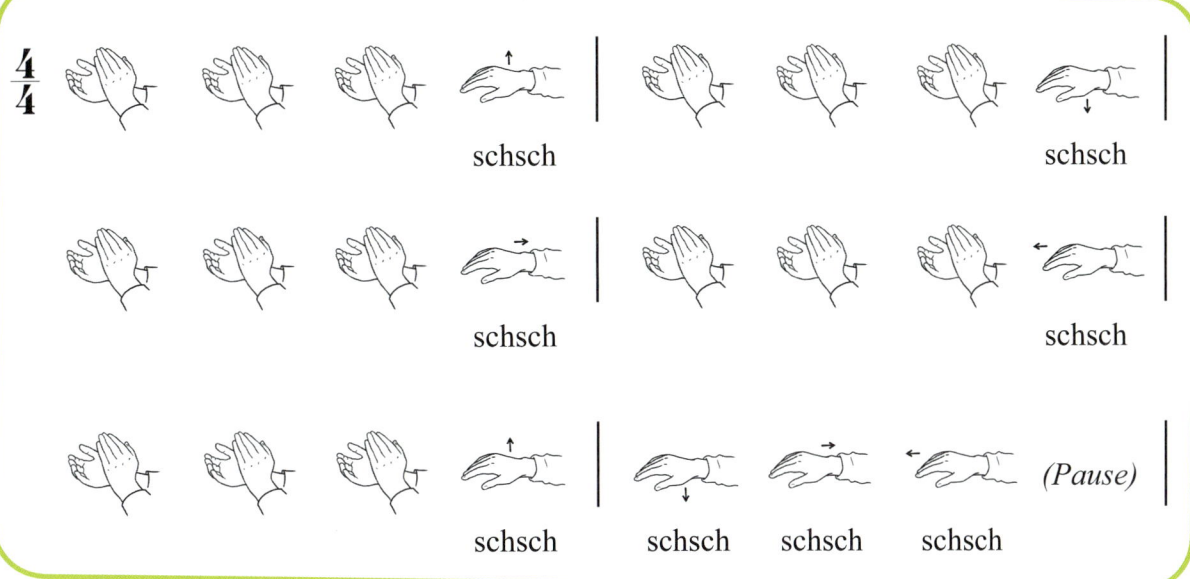

Umsetzung

Cohetes stammt aus dem spanischen Raum in Südamerika und wird dort ohne Text ausgeführt.

Die Bewegungen imitieren ein Feuerwerk: Die Kinder klatschen mehrere Male je dreimal hintereinander. Beim ersten Mal wird eine Hand anschließend nach oben, beim zweiten Mal nach unten, beim dritten Mal nach links und beim vierten Mal nach rechts gestreckt. Dabei wird gezischt: „schsch". Am Ende werden die vier Armbewegungen aneinandergehängt und mit Zischlauten begleitet. Der letzte Schlag ist eine Pause, danach kann von vorne begonnen werden.

Der deutsche Text kann besonders gut mit Gesten dargestellt werden, dazu

- einen Berg mit beiden Händen andeuten und die rechte Hand zu „schsch" wie eine Rakete nach oben steigen lassen,
- noch einmal einen Berg zeigen und die andere Hand hochstrecken,
- bei „Feuerwerk" die Hand an die Stirn halten, dann steigen beiden Hände nach oben.
- nach „wunderbar" jeweils dreimal in die Hände klatschen.
- Am Ende staunend den Mund öffnen und „Aaah!" rufen, dazu beide Hände nach außen strecken.

Tipp Das Stück kann auch als zweistimmiger Kanon gesprochen werden (Einsatz zu Beginn der dritten Zeile bei „wunderbar").

Deutsche Version

Überm Berg, schsch,
überm Berg, schsch
gibt es heut ein Feuerwerk, schsch.
Wunderbar, *(klatsch, klatsch, klatsch)*,
wunderbar, *(klatsch, klatsch, klatsch)*
alle Leute rufen: „Aaah!"

Text: Wolfgang Hering

Me stone is me gone / Mein Stein

Originaltext 🎧 98

Me stone is me gone

Me stone is me stone, Miss Mary,
me stone is me stone, Miss Mary,
me stone is me stone, Miss Mary,
pass 'em down is me stone, Miss Mary.

Me stone is me stone, Senor Juan, …

Me stone is me stone, Janeika, …

Text: trad. aus Trinidad und Tobago

Deutsche Version

Mein Stein

Mein Stein, mein Stein,
der wandert ganz allein.
Juchhei, juchhei,
so wandert er vorbei.

Text: Wolfgang Hering

Umsetzung

Das Besondere an diesem Stück ist die für die Ursprungsregion typische synkopische Phrasierung des Textes. Bewegungen im Metrum dazu auszuführen, ist gerade für kleine Kinder sehr schwierig. Zur deutschen Version lässt sich aber gut das folgende Klatschspiel umsetzen:

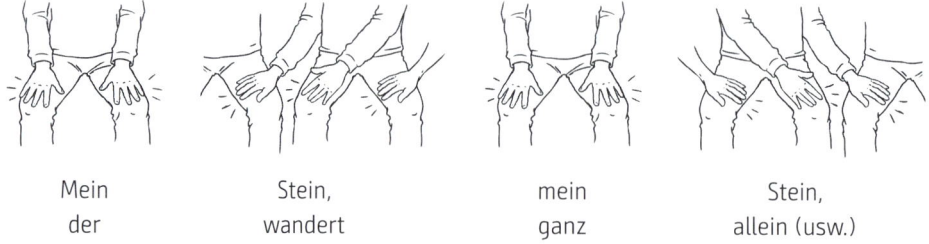

| Mein | Stein, | mein | Stein, |
| der | wandert | ganz | allein (usw.) |

Variante als Steinspiel:

Entweder wird nur ein Stein mit rhythmischen Bewegungen zum gesprochenen Text weitergegeben oder es kreisen mehrere Steine im Sitzkreis. Alternativ wird ein Stein beim Wort „stone" bzw. „Stein" von der rechten in die linke Hand gegeben, beim Schlag dazwischen wird er an den Nachbarn weitergereicht (ebenfalls mit nur einem oder mehreren Steinen im Kreis machbar).

Im Kreis herum

Bewegte Gruppenspiele

In vielen Ländern der Welt treffen sich Kinder gerne auf einer Wiese oder der Straße zu einfachen Hüpf- oder Kreisspielen. Viele der überlieferten Bewegungsspiele machen nicht nur Spaß, sondern fördern außerdem die Aufmerksamkeit und das Soziale Lernen. Die Regeln können in den meisten Fällen altersgemäß abgewandelt werden.

Ohren zuhalten

Unsre Ohren spielen mit,
gleich, da macht ihr mit zu dritt.
Haltet euch die Ohren zu
und der/die Nächste, das bist du.

Text: Wolfgang Hering

Umsetzung

Die Idee dieses Spiels stammt aus Korea: Im Kreis hält sich ein Kind zum gesprochenen Vers beide Ohren zu. Das Kind links davon verschließt mit der rechten Hand sein rechtes Ohr, das Kind auf der anderen Seite sein linkes Ohr. Bei der letzten Zeile „und der/die Nächste" nimmt das erste Kind beide Hände herunter und zeigt mit dem Finger auf ein anderes Kind im Kreis. Nun hält sich zur Wiederholung des Verses dieses Kind beide Ohren zu, die Kinder links und rechts davon jeweils das zugewandte Ohr. Das Tempo kann immer mehr gesteigert werden. Wer einen Fehler macht, scheidet aus. Das Kind, das am längsten im Spiel bleibt, hat gewonnen.

Wo ist der Stein?

Umsetzung

Bei diesem kenianischen Steinspiel wird zunächst
eine immer kleiner werdende Spirale in den Sand
oder auf ein großes Blatt Papier gemalt. Anschließend setzen sich die Kinder auf den Boden im Kreis
um die Spirale herum und nehmen sich je zwei
Steine, die als Paar erkennbar sind. Der eine wird als
Spielstein an den äußeren Anfangspunkt der Spirale
gelegt, der andere als Handstein hinter dem Rücken
in einer Hand versteckt. Nun kann der deutsche Vers
gesprochen werden. Während dieser Zeit entschei-
den sich die Kinder, ob sie ihren Stein hinter dem
Rücken in die rechte oder linke Hand legen. Am Ende
des Verses strecken alle Kinder ihre Hände in die
Kreismitte. Ein Kind ist an der Reihe und muss bei einem frei gewählten Mitspieler raten, in welcher Hand
der Stein versteckt ist. Hat es richtig geraten, darf es
mit seinem Spielstein eine halbe Runde (d.h. einen
Halbkreis) vorrücken. Wenn nicht, bleibt der eigene
Spielstein auf seiner Position liegen. In der nächsten
Runde ist das nächste Kind (im Uhrzeigersinn) dran.
Wer das innere Ende der Spirale als erster erreicht,
hat gewonnen!

Wo ist der Stein?

In der Hand, da ist ein Stein.
Sag uns nun, wo mag er sein?
Wir sind alle sehr gespannt,
bitte öffne deine Hand!

Text: Wolfgang Hering

༄ཀྱེ་ཏོ། / Die Wurzeln

Originaltext 🎧 99

ཀྱེ་ཏོ།

ཀྱེ་ཏོ་ཀྱེ་ཏོ།
ལྕང་མའི་མེ་ཏོག་ལ་
ས་ལའི་འོག་གི་རྡོ་ཁང་གུ་བཞི་
འདི་བསྐུམ།

Aussprache

Bətsə

Bətsə bətsə
tschangmie mätak la
säli oggi do kong
trschbə ndə kom.

Übersetzung

Hausherr

Hausherr, Hausherr,
die Baumwurzeln
wachsen durch die Erde in
dein Steinhaus
und machen es ganz eng.

Umsetzung

Die Kinder stehen im Kreis und sprechen den Vers, dabei
strecken sie eine Faust als „Wurzel" in die Kreismitte. Ein
Kind steht in der Kreismitte und klatscht die ausgestreck-
ten Hände nacheinander im Sprachrhythmus ab. Abge-
klatschte Fäuste werden anschließend wieder gehoben.
Das Kind, das mit der letzten Silbe „kom"/„raus" einen Klaps
auf die Faust bekommt, scheidet aus. Wer als letztes übrig
bleibt, darf bei der nächsten Runde in die Kreismitte.

Deutsche Version

Die Wurzeln

Die Wurzeln, die Wurzeln,
die wachsen in das Haus.
Wir brauchen Platz zum Wohnen,
die Wurzeln müssen raus.

Einfrieren   **Sierra Leone**

Einfrieren

Alle Kinder klatschen mit,
denn das ist der große Hit.
Nach und nach, ob groß, ob klein,
lassen sie das Klatschen sein.
Kein Gezappel, kein Gebrüll,
alle stehen starr und still.

Text: Wolfgang Hering

Umsetzung

Dieses Spiel stammt aus Sierra Leone, wo es ohne einen
Sprechvers gespielt wird – der deutsche Text macht das Spiel
für die Kinder aber noch spannender: Alle bilden einen Kreis
und sprechen den Vers gemeinsam, dazu wird geklatscht.
Ein Kind geht um den Kreis herum und berührt ab der Text-
stelle „nach und nach …" alle anderen Kinder der Reihe nach.
Diese hören auf zu klatschen und frieren ein. Wer als letztes
eingefroren ist, darf als nächstes um den Kreis herumgehen.

Alternativ versucht jedes Kind beim Einfrieren eine besonders schöne (oder lustige) Pose auszuwählen. Das Kind
im Kreis wählt die beste aus und bestimmt damit, wer als
nächstes um den Kreis herumgehen darf.

แมงมุม / **Krabbel wie die Spinne**

Originaltext 100

แมงมุม
แมงมุม แมงมุม แมงมุม
ขยุ้มหลังคา
แมวกินปลา
หมากัดกระพุ้งก้น

Text: trad. aus Thailand

Aussprache

Mängmum

Mängmum, mängmum, mängmum
karjum langkaa.
Mäw kin paa.
Ma gad kapung kon.

Übersetzung

Die Spinne

Die Spinne, die Spinne, die Spinne,
krabbelt auf dem Dach.
Die Katze isst Fisch.
Der Hund beißt in die Pobacke.

Deutsche Version

Krabbel wie die Spinne

Krabbel wie die Spinne
auf einem hohen Dach.
Dann werden alle Kinder
in ihren Betten wach.
Die Katze frisst die Mäuse,
es singt der Kakadu.
Ihr passt jetzt alle auf,
der Hund, der schnappt jetzt zu.

Text: Wolfgang Hering

Umsetzung

Alle stehen oder knien im Kreis mit dem Gesicht zur Kreismitte. Ein Kind steht in der Mitte
und spielt mit den krabbelnden Fingern einer Hand die Spinne. Die Kinder im Kreis halten
beide Hände flach nach vorne als „Dach". Dann krabbelt die Spinne nach und nach auf jedem
Dach (entweder im Kreis oder kreuz und quer) und der Vers wird gesprochen. Am Ende zieht
das Kind, auf dessen Hand die Spinne gerade krabbelt, genau bei der letzten Silbe „kon" im
Original oder „zu" in der deutschen Textübertragung die Hand weg. Die „Spinne" versucht
diese Hand zu erwischen. Wenn das gelingt, muss das entsprechende Kind eine vorher vereinbarte Aufgabe lösen (z. B. einen Reim aufsagen, ein Lied singen), alternativ scheidet es
aus oder wird zur neuen Spinne in der Kreismitte. Wer seine Hand vor der letzten Silbe des
Sprechverses wegzieht, muss ebenfalls ausscheiden.

Ide maca oko tebe / Es streunt die Katze herum

Originaltext 101

Ide maca oko tebe

Ide maca oko tebe,
pazi da te ne ogrebe.
Čuvaj mijo rep,
da ne budeš slijep.
Ako budeš slijep,
otpast će ti rep.

Text: trad. aus Serbien / Kroatien / Bosnien

Umsetzung

Die Kinder im Kreis fassen sich an den Händen. In der Kreismitte befindet sich ein Kind als Mäuschen, außerhalb des Kreises spielt ein Kind die Katze und muss die Maus fangen. Der Vers wird dreimal gesprochen, in dieser Zeit versucht die Katze die Maus zu fangen. Die Kinder im Kreis können die Arme heben und senken, um die Katze auszusperren und um der Maus einen Ausgang anzubieten. Wird die Maus erwischt, wird sie zur neuen Katze und darf eine Maus bestimmen. Wird die Maus nicht erwischt, bleibt sie in ihrer Rolle und die erfolglose Katze bestimmt eine neue Jägerin.

Aussprache

Ide matsa oko tebe

Ide matsa oko tebe
pasi da te ne ogrebe.
Tschuwai mijo rep,
da ne budesch slijep.
Ako budesch slijep,
otpast tsche ti rep.

Übersetzung

Die Katze schleicht um dich herum

Die Katze schleicht um dich herum,
pass auf, dass sie dich nicht kratzt.
Hüte, Mäuschen, deinen Schwanz,
sonst wirst du noch blind.
Und wenn du blind wirst,
fällt dir das Schwänzchen ab.

Deutsche Version

Es streunt die Katze herum

Es streunt die Katze hier herum,
doch das Mäuschen ist nicht dumm.
Es passt gut auf sein Schwänzchen auf,
und läuft herum im Dauerlauf.
Ach Mäuschen, sei nicht abgelenkt,
weil sonst die Katze dich gleich fängt.
Hat sie das Maul mal aufgeklappt,
wirst du vielleicht von ihr geschnappt.

Text: Wolfgang Hering

Kutu, kutu, pense / Wir gehn im Kreis 🎵 S. 125

Kutu, kutu, pense

Kutu, kutu, pense,
elmamı yese,
arkadaşım *Ayla*,
arkasını dönse.

Kutu, kutu, pense,
elmamı yese,
arkadaşım *Ayla*,
önünü dönse.

Text: trad. aus der Türkei

Aussprache

Kutu, kutu, pense

Kutu, kutu, pense,
elmamə jesse,
arkadaschim Ayla,
arkasənə dönse.

Kutu, kutu, pense,
elmamə jesse,
arkadaschim Ayla,
önünü dönse.

Übersetzung

Schachtel, Schachtel, Zange

Schachtel, Schachtel, Zange,
würde meinen Apfel essen,
meine Freundin Ayla,
soll sich wegdrehen.

Schachtel, Schachtel, Zange,
würde meinen Apfel essen,
meine Freundin Ayla,
soll sich zurückdrehen.

Umsetzung

Dieses einfache Kreisspiel aus der Türkei lässt sich gut zum Kennenlernen der Namen einsetzen. Alle Kinder gehen mit gefassten Händen im Kreis, der Blick ist zur Kreismitte gewandt. Dazu wird der ersten Teil des Verses gesprochen oder gesungen. Nach „arkadaşım" wird der Name eines vorher festgelegten Kindes genannt (im Vers wird also „Ayla" durch den Namen des Kindes ersetzt); diese Person dreht sich zur letzten Zeile „arkasını dönse" so, dass es die Hände wieder fassen kann, aber nach außen schaut. Dann beginnt das Spiel von neuem. Die Namen der Kinder werden nun ihrer Reihenfolge im Kreis nach aufgerufen. Nach und nach machen alle eine Drehung, bis jedes Kind nach außen schaut.

Nun kommt der zweite Teil des Verses zum Einsatz, auch dieser wird wiederholt gesprochen oder gesungen, nur drehen sich die Kinder „önünü dönse" wieder zur Mitte.

Zur deutschen Version kann zusätzlich ein Kind außerhalb des Kreises laufen und die Kinder im Vorbeilaufen nacheinander antippen (möglichst im Sprachrhythmus). Hier dreht sich das Kind, das bei der letzten Silbe berührt wird, nach außen um. Dann kommt der Abzählvers. Dasjenige Kind, das bei der letzten Versilbe „du" berührt wird, übernimmt die Rolle des Kindes außerhalb des Kreises. So entsteht ein abwechslungsreiches Spiel.

Deutsche Version

Wir gehn im Kreis

Wir gehn im Kreis zusammen
Hand in Hand herum.
Und wer jetzt an die Reihe kommt,
der dreht sich einfach um.

Ene, mene, mu,
das nächste Kind bist du.

Text: Wolfgang Hering

اتل متل توتوله /
Wer spielt weiter hier im Kreis?

Originaltext 🎧 103

اتل متل توتوله

اتل متل توتوله, گاو حسن چه جوره؟
نه شیر داره نه پستون، گاوشو بردن هندسون
یک زن کردی بستون، اسمشو بذار عم قزی
دور کلاش قرمزی.
هاچینو واچین یه پاتو ورچین

Text: trad. aus dem Iran

Umsetzung

Die Kinder sitzen auf dem Boden im Kreis, beide Knie angewinkelt vor der Brust. Die Spielleiterin oder der Spielleiter ist in der Mitte. Der Text wird rhythmisch aufgesagt. Es werden nun die Knie nacheinander berührt und angetippt. Wen die letzte Silbe trifft (im Persischen also „-tschin", im Deutschen „du"), der legt sein Bein auf den Boden (unter das andere), das andere bleibt stehen. Dann beginnt der nächste Durchgang. Irgendwann kommt das zweite Bein hinzu und scheidet ebenfalls aus. Das Spiel wird so lange fortgeführt, bis alle Beine auf dem Boden liegen. Wer sein Knie als letzter hinlegen muss, hat gewonnen und kommt zum Abzählen für die nächste Runde in die Mitte.

Aussprache

Attal mattal tutule

Attal mattal tutule, gaave Hassan tschedjure?
Na schir dareh na pestun, gaawescho bordan hendestun.
Jek sane kordi bestun, esmescho besar agmesi.
Dore kolacsh germesi.
Haschin o watschin je pato wartschin.

Übersetzung

Attal mattal tutule

Attal mattal tutule, wie geht es Hassans Kuh?
Sie hat weder Milch noch Euter,
deshalb wurde sie nach Indien gebracht.
Er soll eine kurdische Frau nehmen und sie Amgesi nennen.
Dann trägt sie einen rotumrandeten Hut.
Hatschin o watschin, beweg das Bein!

Deutsche Version

Wer spielt weiter hier im Kreis?

<u>Was</u> ich <u>jetzt</u> noch <u>gar</u> nicht <u>weiß</u>:
Wer spielt <u>weiter</u> <u>hier</u> im <u>Kreis</u>?
<u>Ich</u> und <u>du</u>, <u>Müllers</u> <u>Kuh</u>,
<u>Müllers</u> <u>Esel</u>, <u>das</u> bist <u>du</u>.

Text: Wolfgang Hering

Stary niedźwiedź mocno śpi / Der alte Bär S. 125

Originaltext 104

Stary niedźwiedź mocno śpi

Stary niedźwiedź mocno śpi,
stary niedźwiedź mocno śpi.
My się go boimy,
na palcach chodzimy,
jak się zbudzi to nas zje,
jak się zbudzi to nas zje.
Pierwsza godzina niedźwiedź śpi,
druga godzina niedźwiedź chrapie,
trzecia godzina niedźwiedź łapie!

Text: trad. aus Polen

Aussprache

Starə njedschwjedsch mozno schpi

Starə njedschwjedsch mozno schpi,
starə njedschwjedsch mozno schpi.
Mə schje go boimə,
na palzach chodschimə,
jak sche sbudschi to nas sje,
jak sche sbudschi to nas sje.
Pjerwscha godschina njedschwjedsch schpi,
druga godschina njedschwjedsch chrapje,
tretscha godschina njedschwjedsch uapje!

Übersetzung

Der alte Bär ist fest eingeschlafen

Der alte Bär schläft tief,
der alte Bär schläft tief.
Wir haben Angst vor ihm,
darum gehen wir auf den Zehenspitzen,
wenn er erwacht, wird er uns fressen,
wenn er erwacht, wird er uns fressen.
In der erste Stunde schläft der Bär,
in der zweiten Stunde schnarcht der Bär,
in der dritten Stunde fängt der Bär!

Umsetzung

Ein Kind spielt den Bären und liegt auf dem Boden. Die andern Kinder schleichen um den Bären herum, dazu sagt ein Kind (oder ein Erwachsener) den Text auf. Das Aufwachen des Bärs am Ende des Textes sollte überraschend passieren und kann durch langsames Sprechen des Originaltextes bzw. durch eine Verlängerung des deutschen Textes um „die dritte Stunde", „die vierte Stunde" usw. hinausgezögert werden. Wenn der Bär in der letzten Zeile erwacht, steht er auf und beim letzten Wort des Verses („łapie" oder „Bär") rennt er los und versucht ein Kind zu fangen. Dieses Kind muss dann den neuen Bären spielen.

Deutsche Version

Der alte Bär

In der Höhle schläft der Bär,
vor ihm fürchten wir uns sehr.
Wir gehen leise um das Tier,
nur auf Zehenspitzen hier.
Die erste Stunde schläft der Bär.
Die zweite Stunde schläft der Bär. *(usw.)*
Dann wacht er auf, der alte Bär.

Text: Wolfgang Hering

Henne und Raupe

Umsetzung

Die Idee zu diesem Spiel stammt aus Marokko, wird dort aber ohne Sprechvers gespielt. Dieser kann entweder vor dem Spiel von allen Kindern (als „Startsignal") oder während des Spiels (dann durch die Spielleitung) gesprochen werden. Das Spiel benötigt viel Platz.

Die Kinder stellen sich in einer Reihe hintereinander auf und legen ihre beiden Hände auf die Schultern des Kindes vor ihnen. So stellen sie die Raupe dar (bei einer größeren Gruppe können auch mehrere Raupen gebildet werden). Ein Kind stellt sich nicht in die Reihe und spielt die hungrige Henne, die die Raupe fressen will. Dabei darf es nur versuchen, das jeweils letzte Kind der Raupenkette von den übrigen Kindern zu trennen. Während die Henne das Ende der Raupe zu fassen ver-

sucht, weicht ihr die Raupe so gut es geht aus. Hat die Henne das Raupenende erwischt, muss dieses Kind loslassen und ist ausgeschieden. Reißt die Raupenkette dabei auseinander, sind alle Kinder des hinteren Teils ausgeschieden. Das Spiel ist vorbei, sobald die Raupe bis auf den Kopf „aufgefressen" wurde. Alternativ kann das Spiel auch mit einem Signal (z. B. einem Gong) beendet werden.

In der zweiten Runde wird die Henne zum Ende der neuen Raupe und der Kopf der letzten Raupe spielt die Henne.

Alternativ kann das letzte Kind in der Raupenkette sich auch ein Tuch in den Hosenbund oder eine Tasche stecken, das dann von der Henne geschnappt werden muss.

Henne und Raupe

Die Henne läuft zur Raupe,
und will davon ein Stück.
Sie sucht nach deren Ende
und hofft auf etwas Glück.

Die Raupe kann sich wehren,
weil sie nicht gern verliert.
Mal sehn, ob jetzt die Henne.
das Hinterteil berührt.

Text: Wolfgang Hering

Noten

Sağ elimde beş parmak ◆ Seite 33 🎧 25b

T. u. M.: trad. aus der Türkei

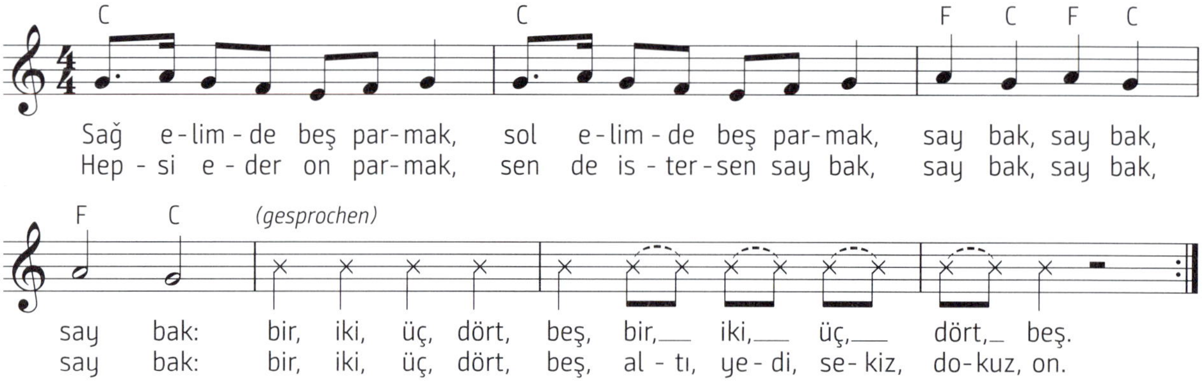

Sağ e-lim-de beş par-mak, sol e-lim-de beş par-mak, say bak, say bak,
Hep-si e-der on par-mak, sen de is-ter-sen say bak, say bak, say bak,

(gesprochen)

say bak: bir, iki, üç, dört, beş, bir,___ iki,___ üç,___ dört,___ beş.
say bak: bir, iki, üç, dört, beş, al-tı, ye-di, se-kiz, do-kuz, on.

I caught a fish ◆ Seite 34 🎧 26b

T. u. M.: trad. aus Großbritannien / USA

One, two, three, four, five, once I caught a fish a-live, six, se-ven, eight, nine, ten,

then I let it go a-gain. Why did you let him go? Be-cause it bit my fin-ger so.

Which fin-ger did it bite? This lit-tle fin-ger on my right.

Én kis kertet kerteltem ◆ Seite 48 🎧 38b

T. u. M.: trad. aus Ungarn

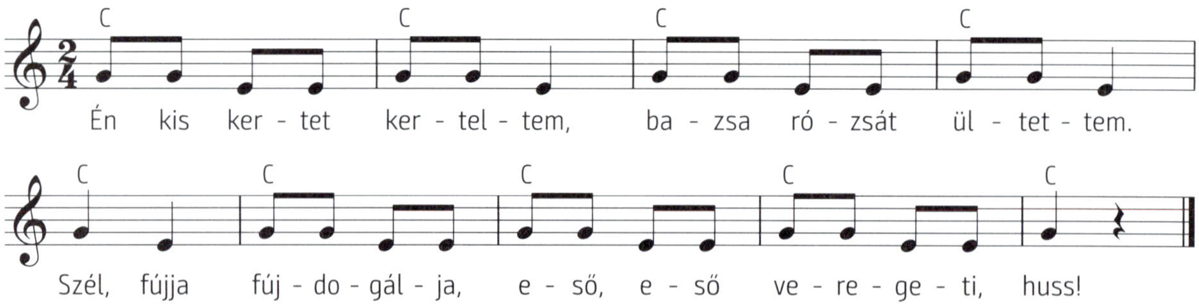

Én kis ker-tet ker-tel-tem, ba-zsa ró-zsát ül-tet-tem.

Szél, fújja fúj-do-gál-ja, e-ső, e-ső ve-re-ge-ti, huss!

Incy wincy spider / Hämä-hämähäkki / Mini minnacık örümcek

➧ Seite 52 / 53 42b / 43b / 44b

T. u. M.: trad. aus Großbritannien, Finnland bzw. der Türkei

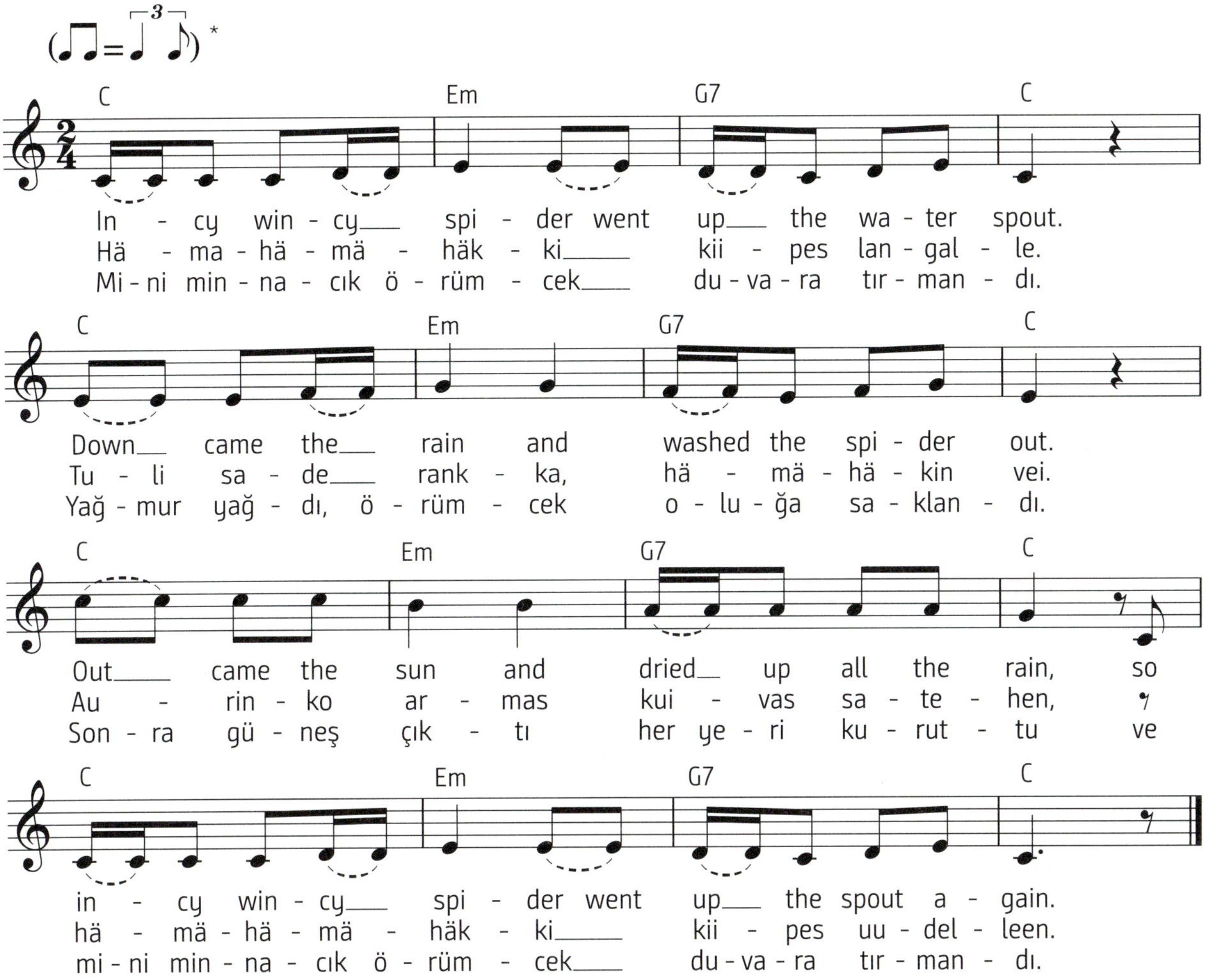
(♫ = ♩♪ 3) *
C Em G7 C
In - cy win - cy spi - der went up the wa - ter spout.
Hä - ma - hä - mä - häk - ki kii - pes lan - gal - le.
Mi - ni min - na - cık ö - rüm - cek du - va - ra tır - man - dı.
C Em G7 C
Down came the rain and washed the spi - der out.
Tu - li sa - de rank - ka, hä - mä - hä - kin vei.
Yağ - mur yağ - dı, ö - rüm - cek o - lu - ğa sa - klan - dı.
C Em G7 C
Out came the sun and dried up all the rain, so
Au - rin - ko ar - mas kui - vas sa - te - hen,
Son - ra gü - neş çık - tı her ye - ri ku - rut - tu ve
C Em G7 C
in - cy win - cy spi - der went up the spout a - gain.
hä - mä - hä - mä - häk - ki kii - pes uu - del - leen.
mi - ni min - na - cık ö - rüm - cek du - va - ra tır - man - dı.

* Gilt meist nur für die englischsprachige Version.

Here is the beehive

➧ Seite 55 46b

T. u. M.: trad. aus Großbritannien

C C F C G7 G7
Here is the bee-hive. Where are the bees? Hid-den a-way where no-bo-dy sees.
C C F C C C (gesprochen)
They are com-ing out now, they are all a-live. One, two, three, four, five. Bzzz …

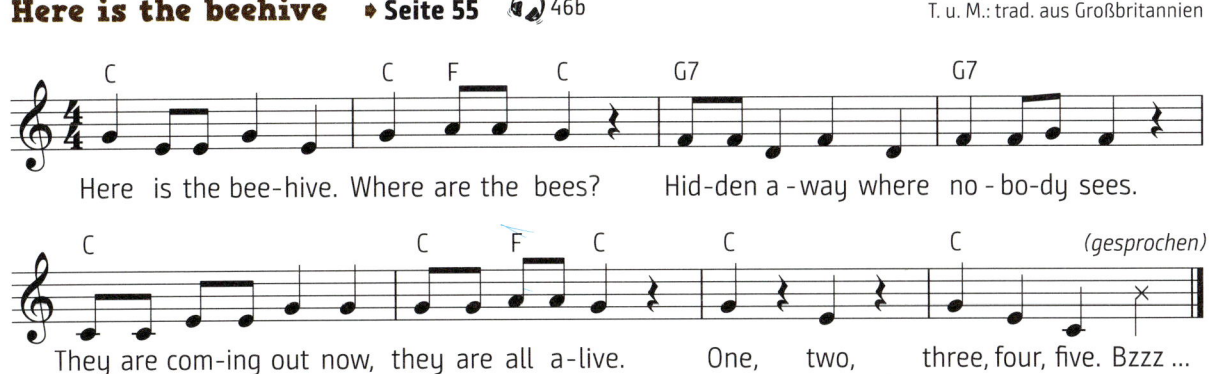

Klapp ens in je handjes ↦ Seite 94 🎧 82b

T. u. M.: trad. aus den Niederlanden

Klap eens in je hand - jes, blij, blij, blij, op je bo - ze bol - let - je,

al - le - bei. Hand - jes in de hoog - te, hand - jes in je zij.

Zo va - ren de scheep - jes voor - bij.

* Diese Angabe kann bei Bedarf wegfallen (es sind beide Verionen bekannt).

Sampung mga daliri ↦ Seite 98 🎧 86b

T. u. M.: trad. von den Philippinen

Sam - pung m - ga da - li - ri, ka - may at pa - a, da - la -

wang ma - ta, da - la - wang tain - ga, i - long na ma - gan - da. Ma -

li - li - it na ngi - pin, ma - sa - rap ku - ma - in, di -

lang ma - li - it, nag - sa - sa - bi hu - wag kang mag - sin - un - ga - ling.

Kutu, kutu, pense ⬧ Seite 118 🎧 102b

T. u. M.: trad. aus der Türkei

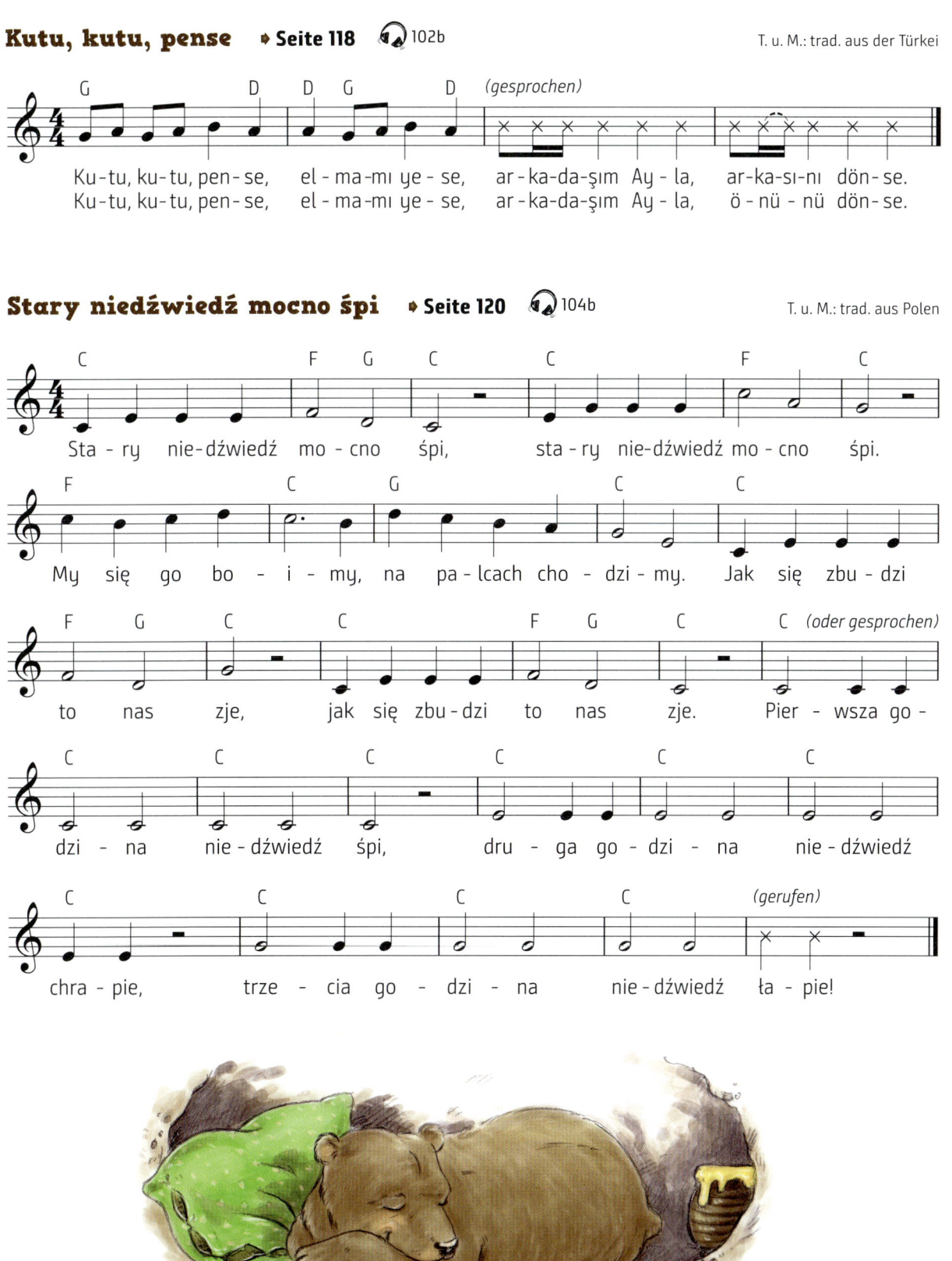

Ku-tu, ku-tu, pen-se, el-ma-mı ye-se, ar-ka-da-şım Ay-la, ar-ka-sı-nı dön-se.
Ku-tu, ku-tu, pen-se, el-ma-mı ye-se, ar-ka-da-şım Ay-la, ö-nü-nü dön-se.

Stary niedźwiedź mocno śpi ⬧ Seite 120 🎧 104b

T. u. M.: trad. aus Polen

Sta-ry nie-dźwiedź mo-cno śpi, sta-ry nie-dźwiedź mo-cno śpi.

My się go bo-i-my, na pa-lcach cho-dzi-my. Jak się zbu-dzi

to nas zje, jak się zbu-dzi to nas zje. Pier-wsza go-

dzi-na nie-dźwiedź śpi, dru-ga go-dzi-na nie-dźwiedź

chra-pie, trze-cia go-dzi-na nie-dźwiedź ła-pie!

Alphabetisches Verzeichnis aller Verse

♫ S. 122

Verzeichnis der Sprachen

Aus mehreren Ländern wurden außerdem Spielideen aufgegriffen, die jedoch ohne Text auskommen: Auf Seite 108 befindet sich ein australisches, auf Seite 111 ein südamerikanisches Klatschspiel (genauer Ursprung unbekannt). Auf Seite 113 wird eine Spielidee aus Korea aufgegriffen, auf Seite 114 ein Steinspiel aus Kenia. Die Idee für ein Kreisspiel aus Marokko ist auf Seite 121 zu finden.

Verzeichnis der Hörbeispiele 🎧

Alle Hörbeispiele können Sie online über die Helbling-Website abrufen. Rufen Sie dazu *www.helbling.com/code* auf und geben Sie den Zugangscode von der rechten Seite inkl. Bindestriche ein (mit einer Münze oder dem Fingernagel freirubbeln).